GENKI

AN INTEGRATED COURSE IN ELEMENTARY JAPANESE
THIRD EDITION

初級日本語［げんき］

げんき II ［第3版］

ワークブック
WORKBOOK

坂野永理・池田庸子・大野裕・品川恭子・渡嘉敷恭子
Eri Banno / Yoko Ikeda / Yutaka Ohno / Chikako Shinagawa / Kyoko Tokashiki

the japan times PUBLISHING

初級日本語 げんき II［ワークブック］
GENKI: An Integrated Course in Elementary Japanese II [Workbook]

2000 年 2 月 20 日 初版発行
2011 年 10 月 20 日 第 2 版発行
2020 年 10 月 5 日 第 3 版発行
2024 年 3 月 20 日 第 12 刷発行

著　者：坂野永理・池田庸子・大野裕・品川恭子・渡嘉敷恭子
発行者：伊藤秀樹
発行所：株式会社 ジャパンタイムズ出版
　　　　〒 102-0082 東京都千代田区一番町 2-2　一番町第二 TG ビル 2F
ISBN978-4-7890-1733-6

本書の無断複製は著作権法上の例外を除き禁じられています。

First edition: February 2000
Second edition: October 2011
Third edition: October 2020
12th printing: March 2024

Illustrations: Noriko Udagawa
English translations and copyreading: EXIM International, Inc.
Narrators: Miho Nagahori, Kosuke Katayama, Toshitada Kitagawa, Miharu Muto, and Rachel Walzer
Recordings: The English Language Education Council, Inc.
Typesetting: guild
Cover art and editorial design: Nakayama Design Office (Gin-o Nakayama and Akihito Kaneko)
Printing: Nikkei Printing Inc.

Published by The Japan Times Publishing, Ltd.
2F Ichibancho Daini TG Bldg., 2-2 Ichibancho, Chiyoda-ku, Tokyo 102-0082, Japan

Website: https://jtpublishing.co.jp/
Genki-Online: https://genki3.japantimes.co.jp/

ISBN978-4-7890-1733-6

Printed in Japan

本書について

. . . .

　このワークブックはテキスト『初級日本語 げんき』の補助教材です。今回『げんき』第3版を制作するにあたり、テキストの改訂内容に合わせてワークブックも加筆修正を行いました。

　「会話・文法編」には、テキストで導入された各文法項目につき1ページのワークシートがあります。ワークシートでは既習の文法項目や語彙も復習しながら学習項目の定着を図ることができます。対応する文法項目の番号が表示されているので、必要に応じてテキストの文法説明を確認してワークブックに取り組むといいでしょう。

　各文法項目を学習した後は、「答えましょう」と「聞く練習」で総合的な練習を行うことができます。「聞く練習」には1課につき、会話文を中心として3つまたは4つの問題が収録してあります。

　「読み書き編」は、漢字の練習シート（Kanji Practice）と漢字の穴埋め問題（Using Kanji）で構成されています。漢字の導入後、書き方を覚えるまで、この漢字練習シートを使って何度も書いてみましょう。まず、漢字のバランスを意識して薄く書かれている文字をなぞってから、右側の空欄に何度も書いて練習します。筆順はテキストの漢字表を参考にしてください。

　穴埋め問題は、文の中に漢字や熟語が意味のあるものとして含まれていますから、必ず文全体を読んでから解答してください。

　このワークブックをテキストと併用することで、より効率よく初級日本語を学ぶことができるでしょう。

About This Book

This workbook is designed as a supplement for the textbook *GENKI: An Integrated Course in Elementary Japanese*. The production of the textbook's third edition has required additions and other changes to the workbook to bring it into conformity with the new text.

The Conversation and Grammar section in this book contains a worksheet for each grammar point introduced in the textbook. In addition to providing practice on new material, the worksheets also help you to reinforce your understanding of grammatical topics and vocabulary encountered in earlier lessons. The serial number of each grammar point is listed so that you can, if necessary, quickly look up the relevant explanation in the textbook and review it before doing the workbook practice.

After studying each new grammatical idea, you are given the opportunity to review the material comprehensively through the Questions and Listening Comprehension sections. The Listening Comprehension section for each lesson features three or four tasks that involve listening to dialogues and other recorded material.

The Reading and Writing section consists of kanji worksheets (Kanji Practice) and fill-in-the-blank questions about the kanji (Using Kanji). Newly introduced kanji should be written over and over on the sheet until memorized. First, trace the lightly printed kanji samples, paying attention to the balance of the characters. Then practice by copying the kanji over and over again in the blank spaces to the right. For stroke order, please refer to the kanji chart in the textbook.

For the fill-in-the-blank questions, you should read the entire sentence before filling in the blanks in order to learn kanji in context.

By using this workbook in tandem with the textbook, you will learn elementary Japanese with greater efficiency.

げんき② ワークブック　もくじ

読み書き編

会話・文法編

かいわ ぶんぽうへん

Conversation and Grammar

第13課 1 Potential Verbs—1　　　　　　　　　　☛ Grammar 1

I Fill in the chart.

dictionary form	*te*-form	potential	potential negative
e.g. 寝る _ね	寝て _ね	寝られる _ね	寝られない _ね
1. 遊ぶ _{あそ}			
2. 泳ぐ _{およ}			
3. 飲む _の			
4. やめる			
5. 持ってくる _も			
6. 待つ _ま			
7. 歌う _{うた}			
8. 走る _{はし}			
9. 聞く _き			
10. する			
11. くる			
12. 返す _{かえ}			
13. 帰る _{かえ}			

Ⅱ Write two things you can/cannot do and two things you were able/unable to do in childhood.

1. Things you can do:

   (a)_____

   (b)_____

2. Things you cannot do:

   (a)_____

   (b)_____

3. Things you were able to do in childhood:

   (a)_____

   (b)_____

4. Things you were unable to do in childhood:

   (a)_____

   (b)_____

第13課 2 Potential Verbs—2

☛Grammar 1

Ⅰ Read the first half of the sentences and fill in the blanks with the potential verbs. Determine whether you should use the affirmative or the negative.

1. 中国に住んでいたので、中国語が_____。
   ちゅうごく　す　　　　　　　　　　ちゅうごく　ご　　　　(speak)

2. 水がこわいので、_____。
   みず　　　　　　　　　　　　　(swim)

3. いろいろなこと (thing) に興味があるので、専攻が_____。
   　　　　　　　　　　　　きょう　み　　　　　　せんこう　　(decide)

4. かぜをひいているので、あした学校に_____。
   　　　　　　　　　　　　　　がっこう　　　　(go)

5. おなかがすいているので、たくさん_____。
   　　　　　　　　　　　　　　　　　(eat)

6. 気分が悪いので、今日は_____。
   き　ぶん　わる　　　きょう　　　　　(go out)

Ⅱ Translate the following sentences.

1. What kind of songs can you sing?

2. Where can I buy cheap clothes?

3. I was not able to sleep at all last night.

4. I am glad because I was able to become a lawyer.

5. I was unable to eat eggs when I was a child, but I can eat them now.

第13課 ③ 〜し　　　　　　　　　　　　　　　☞Grammar 2

Ⅰ Complete the sentences, using 〜し .

1. _____ 、 _____ 、起きたくないです。
　　　　　(it is cold)　　　　　　　　　　　　(sleepy)

2. _____ 、 _____ 、田中さんは人気があります。
　　　　(smart)　　　　　　　(can play the guitar)　　田中さんは人気があります。

3. _____ 、 _____ 、忙しいです。
　　　　(I have a test)　　　　　(I have to meet the teacher)

4. _____ 、 _____ 、山田さんがきらいです。
　　　(often tells a lie)　　　(doesn't keep a promise)

5. _____ 、 _____ 、今幸せです。
　(I was able to enter the university)　　(I have many friends)

Ⅱ Answer the questions and add reasons with 〜し.

(Example) Q：日本語の授業が好きですか。
　　　　　A：いいえ、好きじゃないです。先生は厳しいし、宿題はたくさんあるし。

1. Q：将来、日本で働きたいですか。

　　A：_____

2. Q：あなたの町が好きですか。

　　A：_____

3. Q：夏と冬とどちらが好きですか。

　　A：_____

4. Q：今どこに行きたいですか。

　　A：_____

第13課　4　〜そうです (It looks like . . .)　　　☛Grammar 3

I Describe the pictures with 〜そうです.

e.g. cake

sweet

[Example] このケーキは甘そうです。
　　　　　　　　あま

1. _____

2. _____

3. _____

4. _____

5. _____

1. teacher

kind

2.

warm

3. child

energetic

II Rephrase the sentences as in the example, using the same pictures.

[Example] 甘そうなケーキですね。
　　　　　　あま

1. _____

2. _____

3. _____

4. _____

5. _____

4. curry

spicy

5.

smart

第13課　5　〜てみる　　　☛Grammar 4

Ⅰ　Reply to A, using 〜てみます.

1. A：あの映画は感動しました。
   えいが　　かんどう

   B：じゃあ、_____。

2. A：あの空手の先生は教えるのがとても上手ですよ。
   からて　せんせい　おし　　　　　　じょうず

   B：じゃあ、_____。

3. A：この本はよかったですよ。
   ほん

   B：じゃあ、_____。

4. A：韓国の料理は辛くて、とてもおいしいですよ。
   かんこく　りょうり　から

   B：じゃあ、_____。

Ⅱ　Write three places you have never been to and things you want to try there, using 〜て
みたい.

[Example] モンゴル (Mongolia) に行ってみたいです。そこで馬 (horse) に乗ってみた
　　　　い　　　　　　　　　　　うま　　　　の
いです。

1. _____

2. _____

3. _____

第13課 6 なら   ☞Grammar 5

I Using なら, answer the questions according to the given cues.

Example　Q：土曜日はひまですか。　（× 土曜日　○ 日曜日）
　　　　　A：日曜日ならひまですが、土曜日はひまじゃないです。

1. Q：肉をよく食べますか。　（× 肉　○ 魚）

　 A：_____

2. Q：バイクが買いたいですか。　（× バイク　○ 車）

　 A：_____

3. Q：猫を飼ったことがありますか。　（× 猫　○ 犬）

　 A：_____

II Answer the questions, using なら.

Example　Q：外国に行ったことがありますか。
　　　　　A：韓国なら行ったことがあります。

1. Q：外国語を話せますか。

　 A：_____

2. Q：スポーツができますか。

　 A：_____

3. Q：料理が作れますか。

　 A：_____

4. Q：お金が貸せますか。

　 A：_____

第13課 7 一週間に三回
いっしゅうかん さん かい

☞Grammar 6

I Translate the following sentences.

1. Mary studies Japanese about three hours a day.

2. John goes to a supermarket once a week.

3. My older sister plays golf twice a month.

4. Ken goes abroad once a year.

II Write how often/long you do the following activities. If you are not certain, use ぐらい.

[Example] watch TV → 一日に一時間ぐらいテレビを見ます。
いちにち　いちじかん　　　　　　み

1. talk with your family

→

2. brush your teeth

→

3. sleep

→

4. cut your hair

→

5. do physical exercises

→

6. catch a cold

→

第13課　8　答えましょう

I 日本語で答えてください。(Answer the questions in Japanese.)

1. 料理をするのが好きですか。どんな料理が作れますか。

2. 子供の時、どんな食べ物が食べられませんでしたか。

3. 今、忙しいですか。 (Answer with 〜し.)

4. 子供の時、何がしてみたかったですか。

5. 日本で何をしてみたいですか。

6. 一週間に何時間／何回、日本語の授業がありますか。

II 日本語で書いてください。
Write about your current part-time job or a former part-time job.

1. どんな仕事ですか／でしたか。

2. 一時間にいくらもらいますか／もらいましたか。

3. 一週間に何日／何時間アルバイトをしていますか／していましたか。

第13課 9 聞く練習 (Listening Comprehension)
き れんしゅう

A Listen to the job interviews between a company personnel interviewer and job applicants. Write answers in Japanese or circle the appropriate ones. 🔊 W13-A

＊ごめん (I'm sorrry [casual])

	どんな外国語が がいこくご できますか	車の運転が くるま うんてん できますか	何曜日に行けますか なんようび い
中山 なかやま		はい・いいえ	月 火 水 木 金 土 日 げつ か すい もく きん ど にち
村野 むらの		はい・いいえ	月 火 水 木 金 土 日 げつ か すい もく きん ど にち

B Ken is talking to Yui and Robert. Mark each of the following statements with ○ if true, or with ✕ if false. 🔊 W13-B

1. (　　　) Ken asked Yui and Robert to take his place at his part-time job.
2. (　　　) Yui can't help Ken because she is busy.
3. (　　　) Yui is not good at English.
4. (　　　) Ken's younger sister is coming tomorrow.
5. (　　　) Robert is busy tomorrow.
6. (　　　) Robert will call Ken if he can cancel the appointment.
7. (　　　) Robert knows somebody who may be interested in teaching.

C Two people are shopping online. 🔊 W13-C

＊スイス (Switzerland)　スポーツクラブ (sports club)

1. What are their first impressions of each item?

(a) 時計は＿＿＿＿＿＿＿＿＿＿＿＿＿＿そうです。
とけい

(b) セーターは＿＿＿＿＿＿＿＿＿＿＿＿＿＿＿＿。

(c) フィットネスマシン (fitness machine) は＿＿＿＿＿＿＿＿＿＿＿＿＿＿。

2. 女の人は時計を買いますか。どうしてですか。
おんな ひと とけい か

3. 男の人はセーターを買いますか。どうしてですか。
おとこ ひと か

4. 女の人はフィットネスマシンを買いますか。どうしてですか。
おんな ひと か

第14課 1 ほしい

☛ Grammar 1

Ⅰ Write whether or not you want the following.

1. ぬいぐるみ

2. 休み
   やす

3. お金持ちの友だち
   かね も   とも

Ⅱ Write whether or not you wanted the following when you were a child.

1. 大きい犬
   おお   いぬ

2. 楽器
   がっ き

3. 化粧品
   け しょうひん

Ⅲ Answer the following questions.

1. 今、何が一番ほしいですか。どうしてですか。
   いま なに いちばん

2. 子供の時、何が一番ほしかったですか。今もそれがほしいですか。
   こ ども とき なに いちばん   いま

3. 時間とお金とどちらがほしいですか。どうしてですか。
   じ かん かね

第14課　2　〜かもしれません　　　　　　　　☛Grammar 2

Ⅰ Complete the sentences, using 〜かもしれません.

1. たけしさんは＿＿＿＿＿＿＿＿＿＿＿＿＿＿＿＿＿＿＿＿＿＿＿＿＿。
   (stingy)

2. ナオミさんは＿＿＿＿＿＿＿＿＿＿＿＿＿＿＿＿＿＿＿＿＿＿＿＿＿。
   (not interested in Kabuki)

3. ゆいさんは、＿＿＿＿＿＿＿＿＿＿＿＿＿＿＿＿＿＿＿＿＿＿＿＿。
   (already went home)

4. メアリーさんは今、＿＿＿＿＿＿＿＿＿＿＿＿＿＿＿＿＿＿＿＿＿＿。
   (is in the library)

5. きのうのテストは＿＿＿＿＿＿＿＿＿＿＿＿＿＿＿＿＿＿＿＿＿＿＿。
   (was not good)

Ⅱ Read each situation and make a guess.

(Example) ゆいさんはいつもジョンさんを見ています。
　　→　Your guess:　ゆいさんはジョンさんが好きかもしれません。

1. けんたさんはいつもさびしそうです。

　　→　Your guess:　＿＿＿＿＿＿＿＿＿＿＿＿＿＿＿＿＿＿＿

2. あいさんはいつも家にいません。

　　→　Your guess:　＿＿＿＿＿＿＿＿＿＿＿＿＿＿＿＿＿＿＿

3. 今日ソラさんはうれしそうです。

　　→　Your guess:　＿＿＿＿＿＿＿＿＿＿＿＿＿＿＿＿＿＿＿

4. 今朝ロバートさんはとても眠そうでした。

　　→　Your guess:　＿＿＿＿＿＿＿＿＿＿＿＿＿＿＿＿＿＿＿

第14課　3　あげる / くれる / もらう　　　　　　　　　　　☞Grammar 3

Ⅰ The pictures below indicate who gave what to whom. Describe them using あげる / くれ
る / もらう.

Picture A

Example

(give)　　ソラさんはけんさんに靴をあげました。

(receive) けんさんはソラさんに靴をもらいました。

1. (give)　　_____

(receive) _____

Picture B

2. _____

3. (give)　　_____

(receive) _____

Picture C

4. _____

5. (give)　　_____

(receive) _____

Ⅱ Answer the following questions.

1. 誕生日に何をもらいましたか。だれにもらいましたか。

2. 友だちの誕生日に何をあげるつもりですか。どうしてですか。

第14課　4　～たらどうですか　　　　　☛Grammar 4

I Complete the dialogues, using ～たらどうですか.

1. A：日本の会社で働きたいんです。
   にほん　かいしゃ　はたら

   B：_____。
   　　　　　　　　　　(send a resume to the company)

2. A：初めてデートするんです。
   はじ

   B：_____。
   　　　　　　　　　　(go to a stylish restaurant)

3. A：熱があるので、かぜかもしれません。
   ねつ

   B：_____。
   　　　　　　　　　　(stay home)

4. A：テストの成績が悪かったんです。
   せいせき　わる

   B：_____。
   　　　　　　　　　　(consult with the teacher)

5. A：財布をなくしたんです。
   さいふ

   B：_____。
   　　　　　　　　　　(go to the police [警察])
   　　　　　　　　　　　　　　　けいさつ

II Make a dialogue according to the cues.

A：1._____。
　　　　　　　　　　(What's wrong?)

B：2._____。
　　　　　　　　　　stating the problem

A：3._____。
　　　　　　　　　　giving advice

B：4._____。
　　　　　　　　　　(I will do so. Thank you.)

第14課 5 Number ＋ も / Number ＋ しか ＋ Negative　☛Grammar 5

I Translate the following sentences. If you think the number is large, use も. If you think the number is small, use しか.

　1. Naomi's father has seven cars.

　2. Ken read three books last year.

　3. Mary has three part-time jobs.

　4. John slept four hours yesterday.

　5. Takeshi has six cats.

　6. Professor Yamashita has two T-shirts.

　7. Hiro has one friend.

II Answer the following questions. Use "number ＋ も" or "number ＋ しか" if necessary.

　1. きのう何時間日本語を勉強しましたか。
　　　なんじかんにほんご　　べんきょう

　2. 今、財布の中にいくらありますか。
　　　いま　さいふ　なか

　3. ジーンズを何本持っていますか。
　　　　　　　　なんぼん　も

第14課　6　答えましょう

Ⅰ 日本語で答えてください。

1. 最近 (recently)、何かもらいましたか。だれに何をもらいましたか。

2. 今までのプレゼントの中で、一番高そうなプレゼントは何ですか。
   だれがくれましたか。

3. 家族の誕生日に何をあげるつもりですか。どうしてですか。

4. 今度の誕生日に何がほしいですか。どうしてですか。

5. 今学期、何回遅刻しましたか。

Ⅱ 日本語で書いてください。
Write about your life ten years from now, using 〜と思います and 〜かもしれません.

第14課 7 聞く練習(き れんしゅう) (Listening Comprehension)

A Listen to the dialogue carefully and draw arrows to indicate how the ticket was passed around. 🔊 W14-A

　　　　　　(も　り) ———→ (すずき)

　　　　　　(よしだ)　　　　　　(たなか)

B Yuki helps international students with their problems at a Japanese school. Listen to the dialogues and answer the questions. 🔊 W14-B

Questions: (a) 留学生は何がしたいと言っていましたか。
　　　　　　(b) ゆきさんはどんなアドバイスをしましたか。

1. (a) 留学生は_____と言っていました。

　　(b) ゆきさんのアドバイス：_____どうですか。

2. (a) 留学生は_____と言っていました。

　　(b) ゆきさんのアドバイス：_____どうですか。

3. (a) 留学生は_____と言っていました。

　　(b) ゆきさんのアドバイス：_____どうですか。

C Yui's younger brother's birthday is coming soon. Listen to the conversation between Yui and her younger brother, Ichiro. 🔊 W14-C

1. Write ◯ for the ones Ichiro wants, and ✕ for the ones he doesn't want.

　　a. (　　) 自転車(じ てんしゃ)　　　c. (　　) 本(ほん)　　　e. (　　) 服(ふく)
　　b. (　　) 時計(と けい)　　　d. (　　) まんが

2. ゆいさんは一郎(いちろう)さんに何(なに)をあげるつもりですか。

第15課　1　Volitional Form　　　　　　　　☛Grammar 1

Ⅰ Fill in the chart below.

dictionary form	potential form	volitional form
e.g. 待つ	待てる	待とう
1. 泳ぐ		
2. 読む		
3. やめる		
4. 磨く		
5. 売る		
6. 捨てる		
7. くる		
8. 付き合う		
9. 卒業する		

Ⅱ A and B are close friends. Complete the dialogue using the volitional forms.

Ａ：1. _____。
　　　　　　　　　　　(Let's eat at a restaurant tonight.)

Ｂ：いいね。2. _____。
　　　　　　　　　　　(Let's make a reservation, shall we?)

Ａ：そうだね。3. _____。
　　　　　　　　　　　(Let's invite Yui, too.)

Ｂ：いいよ。4. _____。
　　　　　　　　　　　(How shall we go [there]?)

Ａ：5. _____。
　　　　　　　　　　　(Let's go [there] by train.)

第15課　2　Volitional Form ＋ と思っています

🖝Grammar 2

Ⅰ Read the first half of the sentences carefully. Then, choose what you are going to do from the list and complete the sentences, using the volitional ＋ と思っています.

> ボランティア活動に参加する　　両親にお金を借りる　　練習する
> お風呂に入って早く寝る　　保険に入る　　花を送る

1. 将来病気になるかもしれないので、_____。

2. お金がないので、_____。

3. 一日中運動して疲れたので、_____。

4. 夏休みに時間があるので、_____。

5. 母の日 (Mother's Day) に_____。

6. 自転車に乗れないので、_____。

Ⅱ Complete the dialogue, using the volitional ＋ と思っています.

かな：　1._____。
　　　　　　　(What do you intend to do for the next holiday?)

ジョン：2._____ ので、3._____。

かな：　いいですね。

ジョン：かなさんは？

かな：　4._____。

ジョン：そうですか。

第15課　3　〜ておく　　　　　　　　　　　☛Grammar 3

I Read the first half of the sentences carefully. Then choose from the list what you will do in preparation and complete the sentences, using 〜ておきます.

withdraw money	make a reservation at a Japanese inn
look for a nice restaurant	practice new songs　　check the time of the train

1. あの店ではカード (credit card) が使えないので、_____。

2. 来週、北海道を旅行するので、_____。

3. 電車で東京に行くので、_____。

4. 今度の週末、友だちとカラオケに行くので、_____。

5. 週末デートをするので、_____。

II Answer the following questions.

1. 来週、大きい台風 (typhoon) が来ます。何をしておきますか。

2. 来週、試験があります。何をしておきますか。

3. 今度の休みに富士山 (Mt. Fuji) に登ります。何をしておかなければいけませんか。

第15課 4 Using Sentences to Qualify Nouns—1　　👉Grammar 4

Ⅰ Make sentences using the cues.

e.g.

弟は描きました。
おとうと　か

1.

食堂があります。
しょくどう

2.

私は先生に借りました。
わたし　せんせい　か

3.

父は私にくれました。
ちち　わたし

4.

友だちは住んでいます。
とも　す

5.

最近できました。
さいきん

e.g. これは＿＿＿弟が描いた＿＿＿絵です。
　　　　　　　　おとうと　か　　　　え

1. これは＿＿＿＿＿＿＿＿＿＿＿＿＿＿＿＿＿＿＿＿建物です。
　　　　　　　　　　　　　　　　　　　　　　　　　　たてもの

2. これは＿＿＿＿＿＿＿＿＿＿＿＿＿＿＿＿＿＿＿＿辞書です。
　　　　　　　　　　　　　　　　　　　　　　　　　　じしょ

3. これは＿＿＿＿＿＿＿＿＿＿＿＿＿＿＿＿＿＿＿＿＿です。

4. これは＿＿＿＿＿＿＿＿＿＿＿＿＿＿＿＿＿＿＿＿＿です。

5. これは＿＿＿＿＿＿＿＿＿＿＿＿＿＿＿＿＿＿＿＿＿です。

Ⅱ Translate the following sentences.

1. This is the Japanese inn my older brother made a reservation (at).

2. This is the mountain I climbed last year.

第15課 5 Using Sentences to Qualify Nouns—2　　　☛Grammar 5

I Translate the sentences, paying attention to the underlined parts.

1. I met a person who graduated from the same university.

2. I have a friend who has been to Russia (ロシア).

3. The dish I ate yesterday was delicious.

4. I am looking for a person who can speak Chinese.

II Answer the questions, using a noun qualifier. You can choose from the list or make up your own.

[Example] Q：どんな友だちがほしいですか。

(A friend: who doesn't lie/who is good at singing/who keeps promises)

A：うそをつかない友だちがほしいです。

1. Q：アパートを探しています。どんなアパートがいいですか。

(An apartment: where you can own a pet/rooms are spacious/that has a swimming pool)

A：＿＿＿＿＿＿＿＿＿＿＿＿＿＿＿＿＿＿＿＿＿＿＿＿＿＿

2. Q：どんな町に住みたいですか。

(A town: where there are many stylish shops/where people are kind/where many students live)

A：＿＿＿＿＿＿＿＿＿＿＿＿＿＿＿＿＿＿＿＿＿＿＿＿＿＿

3. Q：ルームメイトを探しています。どんな人がいいですか。

(A person: who has a car/who likes cleaning/who is good at cooking)

A：＿＿＿＿＿＿＿＿＿＿＿＿＿＿＿＿＿＿＿＿＿＿＿＿＿＿

第15課　6　答えましょう
こた

Ⅰ 日本語で答えてください。
にほんご　こた

1. もうすぐ海外旅行 (trip to a foreign country) に行きます。何をしておかなければ
かいがいりょこう　　　　　　　　　　　　　　　　　　　　い　　　　　なに
いけませんか。

2. 東京に行きます。観光したい所はどこですか。どうしてですか。
とうきょう　い　　　かんこう　　　　ところ

3. 今度の休みに何をしようと思っていますか。
こんど　やす　なに　　　　　　　　おも

4. どんな友だちがいますか。
とも
(Use a sentence-qualifying noun. e.g., 日本に住んでいる友だちがいます。)
にほん　す　　　　　とも

5. どんな家に住みたいですか。 (Use a sentence-qualifying noun.)
いえ　す

Ⅱ 日本語で書いてください。
にほんご　か
あなたの今年の「新年の抱負 (New Year's resolution)」は何ですか。
ことし　しんねん　ほうふ　　　　　　　　　　　　　　なん

Example　いつもお菓子を食べすぎるので、今年はもっと野菜を食べようと思って
かし　た　　　　　　　　ことし　　　やさい　た　　　　　　おも
います。それから、一週間に三回ぐらい運動しようと思っています。
いっしゅうかん　さんかい　　　　うんどう　　　　　　おも

第15課　7　聞く練習 (Listening Comprehension)

A You are invited to Tom's room. Listen to what he says about his belongings and complete each explanation.  W15-A

1. これは＿＿＿＿＿＿＿＿＿＿＿＿＿着物です。

2. これは＿＿＿＿＿＿＿＿＿＿＿＿＿マフラーです。

3. これは＿＿＿＿＿＿＿＿＿＿＿＿＿＿＿
ラジオです。

4. これは＿＿＿＿＿＿＿＿＿＿＿＿＿写真です。

5. これは＿＿＿＿＿＿＿＿＿＿＿＿＿歴史の本です。

6. これは＿＿＿＿＿＿＿＿＿＿＿＿＿ぬいぐるみです。

B Listen to the dialogue between Mary and Sora and circle the appropriate choices. W15-B

＊平和公園＝広島平和記念公園 (Hiroshima Peace Memorial Park)

1. ソラさんは今度の休みに (休もう ・ 勉強しよう) と思っていました。

2. ソラさんは広島に行ったことが (あります ・ ありません)。

3. 広島は (公園がきれいな ・ 食べ物がおいしい) ので、メアリーさんは広島に行きたがっています。

4. メアリーさんは旅行の前に (本で広島について調べておく ・ 安い旅館を予約しておく) つもりです。

5. ソラさんは旅行の前に (平和公園について調べておきます ・ 宿題をしておきます)。

C Listen to the radio advertisement for Sakura University and mark each of the following statements with ◯ if true, or with ✕ if false. W15-C

＊ショッピングモール (shopping mall)

1. (　　　) The library is open until 10 P.M.

2. (　　　) There is a shopping mall on the university campus.

3. (　　　) There are restaurants nearby that serve international dishes.

4. (　　　) You can drink delicious coffee at a cafe nearby.

5. (　　　) There are many students studying English there.

第16課 1 〜てあげる / てくれる / てもらう—1 ☞Grammar 1

I Describe what you did for someone or what someone did for you, using 〜てあげる / 〜てくれる.

1. ＿＿＿＿＿＿＿＿＿＿＿＿＿＿＿＿＿＿＿＿＿＿＿＿＿＿＿＿＿＿＿

2. ＿＿＿＿＿＿＿＿＿＿＿＿＿＿＿＿＿＿＿＿＿＿＿＿＿＿＿＿＿＿＿

3. ＿＿＿＿＿＿＿＿＿＿＿＿＿＿＿＿＿＿＿＿＿＿＿＿＿＿＿＿＿＿＿

II Describe what you had these people do, using 〜てもらう.

1. ＿＿＿＿＿＿＿＿＿＿＿＿＿＿＿＿＿＿＿＿＿＿＿＿＿＿＿＿＿＿＿

2. ＿＿＿＿＿＿＿＿＿＿＿＿＿＿＿＿＿＿＿＿＿＿＿＿＿＿＿＿＿＿＿

3. ＿＿＿＿＿＿＿＿＿＿＿＿＿＿＿＿＿＿＿＿＿＿＿＿＿＿＿＿＿＿＿

第16課 2 〜てあげる / てくれる / てもらう—2　　　☛Grammar 1

I Describe the situations, using 〜てあげる, 〜てくれる, and 〜てもらう.

1. My older sister sometimes lends me her car.

2. My friend took me to the hospital.

3. My friend treated me to dinner.

4. I showed pictures of my trip to my family.

5. Since my family will come to Japan, I will show them around Kyoto.

II Read the following paragraph carefully and fill in the blanks with あげます, くれます, or もらいます.

ぼくは今、日本に留学して、日本人の家族と住んでいます。家族はとても親切

です。お母さんは、おいしい料理を作って（1.　　　　　　　）。お父さん

は、よく駅まで迎えに来て（2.　　　　　　　）。朝早く起きられないので、

いつもぼくはお兄さんに起こして（3.　　　　　　　）。ぼくは、お兄さ

んの英語の宿題を直して（4.　　　　　　　）。妹は、日本人の友だちを

紹介して（5.　　　　　　　）。

第16課 3 〜ていただけませんか　　　　　　　☛ Grammar 2

Ⅰ Ask the following people favors. Use the appropriate speech style: 〜てくれない (casual), 〜てくれませんか (formal), or 〜ていただけませんか (very formal).

1. (*to a friend*) Will you lend (me) money?

2. (*to a friend*) Will you correct (my) Japanese?

3. (*to your host family*) Would you wake me up at seven o'clock tomorrow?

4. (*to your host family*) Would you speak more slowly?

5. (*to your professor*) Could you write a letter of recommendation?

6. (*to your professor*) Could you translate this into English?

Ⅱ Complete the dialogues, using 〜てくれない, 〜てくれませんか, or 〜ていただけませんか!

1. You: _____

　　Host mother:　だめ、だめ。宿題は自分でしなきゃいけませんよ。

2. You: _____

　　Your friend:　ごめん。来週まで待って。今、お金がないんだ。

第16課　4　〜といいですね / 〜といいんですが　　　☞Grammar 3

Ⅰ　Wish the following people luck, using 〜といいですね.

1. Your friend:　あしたは私の誕生日なんです。
   <small>わたし　たんじょうび</small>

   You:　　　　＿＿＿＿＿＿＿＿＿＿＿＿＿＿＿＿＿＿＿＿＿＿＿＿＿＿＿。

2. Your friend:　今、仕事を探しているんです。
   <small>いま　しごと　さが</small>

   You:　　　　＿＿＿＿＿＿＿＿＿＿＿＿＿＿＿＿＿＿＿＿＿＿＿＿＿＿＿。

3. Your friend:　来年留学する予定です。
   <small>らいねんりゅうがく　よてい</small>

   You:　　　　＿＿＿＿＿＿＿＿＿＿＿＿＿＿＿＿＿＿＿＿＿＿＿＿＿＿＿。

4. Your friend:　私の猫が病気なんです。
   <small>わたし　ねこ　びょうき</small>

   You:　　　　＿＿＿＿＿＿＿＿＿＿＿＿＿＿＿＿＿＿＿＿＿＿＿＿＿＿＿。

Ⅱ　Translate the sentences, using 〜といいんですが.

1. I want to go to a graduate school. I hope I can receive a scholarship.

2. There is an exam tomorrow morning. I hope I do not oversleep.

3. I have to give a presentation tomorrow. I hope I will not be too nervous.

4. We are planning on having a barbecue. I hope it does not rain.

第16課　5　〜時（とき）—1

☞Grammar 4

Ⅰ Circle the correct tense expressions in the following sentences.

1. 友（とも）だちがこの町（まち）に（ 来（く）る ・ 来（き）た ）時（とき）、案内（あんない）します。

2. 友（とも）だちがうちに（ 来（く）る ・ 来（き）た ）時（とき）、部屋（へや）を掃除（そうじ）します。

3.（ 道（みち）に迷（まよ）う ・ 道（みち）に迷（まよ）った ）時（とき）、スマホで調（しら）べます。

4. ひま（ な ・ だった ）時（とき）、テレビを見（み）ます。

5. ホームシック（ の ・ だった ）時（とき）、両親（りょうしん）に電話（でんわ）します。

Ⅱ Look at the pictures and complete 時（とき） sentences.

1.

＿＿＿＿＿＿＿＿＿＿＿＿時（とき）、

「いただきます」と言（い）います。

2.

＿＿＿＿＿＿＿＿＿＿＿＿時（とき）、

「ごちそうさま」と言（い）います。

3.

＿＿＿＿＿＿＿＿＿＿＿＿時（とき）、

切符（きっぷ）を買（か）います。

第16課　6　〜時—2

☛Grammar 4

I Determine whether event A (the "when" clause) occurs earlier than event B (the main clause) or not, and translate the following sentences.

Which occurs first?

1. When I go to Japan (=A), I want to stay at a Japanese inn (=B). [A / B]

2. When I went to bed yesterday (=A), I didn't brush my teeth (=B). [A / B]

3. When I attended a volunteer activity (=A), I met various people (=B). [A / B]

4. When I go to school (=A), I ride a bus (=B). [A / B]

5. When I bought this car (=A), I borrowed money from the bank (=B). [A / B]

6. When I received a present from my friend (=A), I was glad (=B). [A / B]

II Answer the questions, using 時.

1. どんな時、悲しいですか。

2. さびしい時、何をしますか。

3. どんな時、緊張しますか。

第16課 7 ～てすみませんでした   ☛Grammar 5

I Make an apology in each of the situations below, using ～てすみませんでした (formal speech style) or ～てごめん (casual speech style).

1. You did not hand in your paper to the professor yesterday.

2. You woke up your roommate.

3. You could not go to your friend's birthday party.

4. You received a message from your friend and forgot to respond.

5. You have lost a book that you borrowed from your teacher.

6. You were late for an appointment with your friend.

II Have you ever caused other people suffering but missed an opportunity to apologize to them? Think of what you did, and make apologies.

1. (to your friend)

2. (to your parent)

3. (to your teacher)

4. (to anybody)

第16課 8 答えましょう

I 日本語で答えてください。

1. 友だちが落ち込んでいる時、友だちに何をしてあげますか。

2. さびしい時、だれに何をしてもらいたいですか。

3. 子供の時、家族は何をしてくれましたか。

4. どんな時、感動しましたか。

5. よく泣きますか。どんな時、泣きますか。

6. 道に迷った時、どうしますか。(どうする：what would you do?)

II 日本語で書いてください。最近、だれにどんないいこと (good deed) をしましたか。

(Example) 日本人の友だちが書いた英語のレポートを直してあげました。
友だちはそのレポートでAをもらったと言っていました。

第16課 9 聞く練習 (Listening Comprehension)
きゅうれんしゅう

A Listen to the dialogue between a couple, Taro and Hanako. Who has agreed to do the following when they get married? Write T for the ones Taro has agreed to do, and write H for the ones Hanako has agreed to do. 🔊 W16-A 　　　　　*ベッド (bed)

1. (　　　) cook breakfast 　　　3. (　　　) clean 　　　5. (　　　) iron

2. (　　　) wake partner up 　　　4. (　　　) shopping 　　　6. (　　　) laundry

B Yuka is a Japanese exchange student studying at an American college. She has made a video for the students who are interested in the exchange program. Listen to her video and answer the questions. 🔊 W16-B 　　　　　*ビデオチャット (video chat)

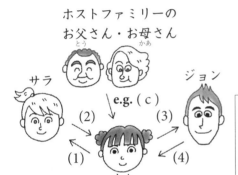

ホストファミリーの
お父さん・お母さん
とう　　　　かあ
サラ　　　　　　　　　ジョン
e.g. (c)
(2)　　　(3)
(1)　　　(4)
ゆか

1. Choose from the list below what each person does.

(1) (　　　) 　(2) (　　　) 　(3) (　　　)

(4) (　　　) & (　　　)

a. 服を貸す	d. パーティーに連れていく
ふく　か	つ
b. 宿題を手伝う	e. おりがみを教える
しゅくだい　てつだ	おし
c. ゆっくり話す	f. 友だちを紹介する
はな	とも　しょうかい

2. ゆかさんはさくら大学の学生に何をしてもらいたいですか。
　　　　　　　　だいがく　がくせい　なに

C A TV reporter is interviewing famous star Rie Gotoh on her birthday. Mark each of the following statements with ○ if true, or with ✕ if false. 🔊 W16-C

*お誕生日おめでとうございます (Happy Birthday!)　ニュース (news)
たんじょうび

1. (　　　) Rie has become 20 years old.

2. (　　　) Rie wants to go to China for a vacation.

3. (　　　) Rie is a singer.

4. (　　　) Rie hopes that she can take three days off this month.

5. (　　　) Rie announced her marriage to Mr. Saijo.

6. (　　　) Rie gives more priority to her carreer over marriage.

第17課　1　〜そうです (I hear)・〜って　　👉Grammar 1・2

Ⅰ Report the following statements, using 〜そうです.

1. "Yasmin (ヤスミン) prays five times a day."

2. "My friend's dormitory is not dirty."

3. "Takeshi got a full-time job at a travel agency."

4. "The movie theater was not crowded."

5. "Sora has to study tonight, because there is an exam tomorrow."

6. "Ken's landlord is very stingy."

Ⅱ Report what you have heard or read.

1. 新聞によると、＿＿＿＿＿＿＿＿＿＿＿＿＿＿＿＿＿＿＿＿＿＿＿。
　　しんぶん

2. 天気予報によると、＿＿＿＿＿＿＿＿＿＿＿＿＿＿＿＿＿＿＿＿＿。
　　てんき よほう

3. ＿＿＿＿＿＿＿＿＿によると、＿＿＿＿＿＿＿＿＿＿＿＿＿＿＿＿＿。

Ⅲ Complete the dialogues, using 〜って.

1. A：ニュース見た？＿＿＿＿＿＿＿＿＿＿＿＿＿＿＿＿＿＿＿＿＿。
　　　　　み

　　B：本当？
　　　　ほんとう

2. A：聞いた？＿＿＿＿＿＿＿＿＿＿＿＿＿＿＿＿＿＿＿＿＿＿＿＿＿。
　　　　き

　　B：そうか。大丈夫かなあ。
　　　　　　　だいじょうぶ

第17課 2 〜たら　　　　　　　　　　　　　　☞Grammar 3

Ⅰ Complete the sentences by choosing appropriate phrases from the list below and turning them into 〜たら phrases.

お金が足りない　インフルエンザだ　就職できない　電子レンジに入れる

1. ＿＿＿＿＿＿＿＿＿＿＿＿＿＿＿＿＿、五分で料理できます。

2. ＿＿＿＿＿＿＿＿＿＿＿＿＿＿＿＿＿、大学に来てはいけません。

3. ＿＿＿＿＿＿＿＿＿＿＿＿＿＿＿＿＿、両親に貸してもらいます。

4. ＿＿＿＿＿＿＿＿＿＿＿＿＿＿＿＿＿、プロポーズをあきらめます。

Ⅱ Translate the sentences, using 〜たら.

1. Let's have a barbecue, if it does not rain this weekend.

2. If I were a teacher, I would give (= do) exams every week.

3. If there is no response from my friend, I become sad.

4. If a baby is born, I will take a leave (休み) for a year.

5. If you are interested in this part-time job, please call me.

第17課　3　〜なくてもいいです　　　　　　　　　　☞Grammar 4

I　Translate the following sentences.

1. You need not come to pick me up at the airport.

2. I will treat you today. You do not have to pay.

3. Because there is no homework, I do not have to study tonight.

4. Since that hotel is not crowded, we do not need to make a reservation.

5. I do not have to do the dishes at my house. My host family do them for me.

II　Complete the following dialogues, using 〜なくてもいい. Note that the casual speech style is used.

1. A：今日、かさを持っていったほうがいいと思う？

　　B：今日は雨が降らないそうだよ。_____。

2. A：今晩のパーティー、ネクタイをしたほうがいいと思う？

　　B：ううん、_____。

3. A：ノート貸してくれてありがとう。あした返そうか？

　　B：ううん、来週まで_____。

III　Describe two things that you do not have to do.

1. _____

2. _____

第17課　4　〜みたいです　　　　　　　　　　　☞Grammar 5

Ⅰ Translate the sentences, using 〜みたいです.

1. It looks like I have caught a cold.

2. It seems that I forgot my smartphone in the car.

3. My younger sister cries a lot. She is like a child.

4. It seems that my friend is not used to life in Japan yet.

5. It seems that my uncle will get a divorce.

Ⅱ Describe your impressions of the pictures below, using 〜みたいです.

1. 　　　2. 　　　3.

ticket

1. _____

2. _____

3. _____

第17課　5　〜前（まえ）に / 〜てから　　　　　☛Grammar 6

Ⅰ Describe the sequences of the pictures.

1. (a) & (b)： ＿＿＿＿＿＿＿＿＿＿前（まえ）に＿＿＿＿＿＿＿＿＿＿＿＿＿＿＿。

2. (c) & (d)： ＿＿＿＿＿＿＿＿＿＿前（まえ）に＿＿＿＿＿＿＿＿＿＿＿＿＿＿＿。

3. (d) & (e)： ＿＿＿＿＿＿＿＿＿から＿＿＿＿＿＿＿＿＿＿＿＿＿＿＿＿＿。

4. (f) & (g)： ＿＿＿＿＿＿＿＿＿から＿＿＿＿＿＿＿＿＿＿＿＿＿＿＿＿＿。

Ⅱ Translate the following sentences.

1. After locking (the door), I went to bed.

2. I intend to look for a job after I graduate.

3. Before going out, I always watch the weather forecast.

第17課 6 答えましょう

Ⅰ 日本語で答えてください。

1. 卒業したら、何をしようと思っていますか。

2. 宝くじに当たったら、何がしたいですか。

3. 同じクラスの学生について何か知っていますか。(Use ～そうです.)

4. 最近どんなニュースがありましたか。(Use ～によると……そうです.)

5. きのう寝る前に何をしましたか。

6. この宿題が終わってから、何をするつもりですか。

Ⅱ 日本語で書いてください。
どんな仕事をしたいですか／どんな会社に就職したいですか。どうしてですか。
(Use そうです, ～みたいです, ～なくてもいいです, etc.)

Example　私は銀行に就職したいです。銀行は給料が高いし、土曜日と日曜日は休みなので、働かなくてもいいです。仕事は大変そうですが、おもしろそうです。

第17課 7 聞く練習 (Listening Comprehension)

A Two workers are talking about their senior colleague, Mr. Yamamoto. Listen to their dialogue and mark each of the following statements with ◯ if true, or with ✕ if false. 🔊 W17-A

1. (　　　　) Yamamoto is going to quit the company.

2. (　　　　) He has been sick these days.

3. (　　　　) His salary is pretty low.

4. (　　　　) He has been working very hard.

5. (　　　　) He has just gotten divorced.

6. (　　　　) They think the cause of his divorce is his wife's new boyfriend.

7. (　　　　) They think they may need to find a new job before they get married.

B Two people are going to Tanaka's party. Listen and answer the following questions.

🔊 W17-B

Before the party, are they going to:

1. hurry? [Yes / No]　　　3. take an umbrella? [Yes / No]

2. call Miss Tanaka? [Yes / No]　　　4. buy something? [Yes / No]

C Mary and Takeshi are talking about plans for this weekend. Listen to the dialogue and answer the questions in Japanese. 🔊 W17-C ＊六甲山 (Mt. Rokko)

1. メアリーさんたちはいつ神戸に行くつもりですか。

2. 神戸で何がしたいと思っていますか。

(a) メアリーさんは＿＿＿＿＿＿＿＿＿＿＿＿＿＿＿と思っています。

(b) ソラさんは＿＿＿＿＿＿＿＿＿＿＿＿＿＿＿＿と思っています。

(c) たけしさんは＿＿＿＿＿＿＿＿＿＿＿＿＿＿＿と思っています。

3. 雨が降ったら、何をするつもりですか。

第18課 1 Transitivity Pairs—1

☞Grammar 1

▶ Describe the pictures using the dictionary forms of transitive and intransitive verbs.

e.g. ドアを

___あける___

1. ドアが

_____

2. ドアを

_____

3. ドアが

_____

4. 犬を
   いぬ

_____

5. 犬が
   いぬ

_____

6. 猫を
   ねこ

_____

7. 猫が
   ねこ

_____

8. 電気を
   てんき

_____

9. 電気が
   てんき

_____

10. ろうそくを

_____

11. ろうそくが

_____

12. ペンを

_____

13. ペンが

_____

14. おもちゃを

_____

15. おもちゃが

_____

16. 服を
    ふく

_____

17. 服が
    ふく

_____

18. お湯を
    ゆ

_____

19. お湯が
    ゆ

_____

第18課　2　Transitivity Pairs—2 　　　☞Grammar 1

Ⅰ Choose the correct verbs and fill in the blanks with their long forms.

Example （ あける ・ あく ） → ドアが＿＿あきます＿＿。

1.（ しまる ・ しめる ） → 窓を＿＿＿＿＿＿＿＿＿＿＿＿＿＿。
まど

2.（ いれる ・ はいる ） → 猫が家に＿＿＿＿＿＿＿＿＿＿＿＿＿＿。
ねこ いえ

3.（ つける ・ つく ） → 電気を＿＿＿＿＿＿＿＿＿＿＿＿＿。
てんき

4.（ わく ・ わかす ） → お湯が＿＿＿＿＿＿＿＿＿＿＿＿＿。
ゆ

5.（ でる ・ だす ） → かばんから本を＿＿＿＿＿＿＿＿＿＿。
ほん

6.（ きえる ・ けす ） → 電気が＿＿＿＿＿＿＿＿＿＿＿＿＿。
てんき

7.（ こわす ・ こわれる ） → 携帯が＿＿＿＿＿＿＿＿＿＿＿＿。
けいたい

8.（ よごす ・ よごれる ） → 服を＿＿＿＿＿＿＿＿＿＿＿＿＿＿。
ふく

9.（ おちる ・ おとす ） → ペンが＿＿＿＿＿＿＿＿＿＿＿＿＿。

Ⅱ Answer the following questions.

1. 寝る時、電気を消しますか。
ね とき てんき け

2. 毎朝、窓を開けますか。
まいあさ まど あ

3. よく服を汚しますか。
ふく よご

4. よく物を壊しますか。
もの こわ

5. 財布を落としたことがありますか。
さいふ お

第18課　3　Paired Intransitive Verbs ＋ ている　　☛Grammar 2

▶ Describe the picture, using 〜ています/ 〜ていません.

1. 左の窓が＿＿＿＿＿＿＿＿＿＿＿＿＿＿＿＿＿＿＿＿＿＿＿＿＿＿＿＿。
　　ひだり　まど

2. 右の窓が＿＿＿＿＿＿＿＿＿＿＿＿＿＿＿＿＿＿＿＿＿＿＿＿＿＿＿＿。
　　みぎ　　まど

3. 時計が＿＿＿＿＿＿＿＿＿＿＿＿＿＿＿＿＿＿＿＿＿＿＿＿＿＿＿＿＿＿。
　　とけい

4. 電気が＿＿＿＿＿＿＿＿＿＿＿＿＿＿＿＿＿＿＿＿＿＿＿＿＿＿＿＿＿＿。
　　てんき

5. Ｔシャツが＿＿＿＿＿＿＿＿＿＿＿＿＿＿＿＿＿＿＿＿＿＿＿＿＿＿＿。
　　ティー

6. テレビが＿＿＿＿＿＿＿＿＿＿＿＿＿＿＿＿＿＿＿＿＿＿＿＿＿＿＿＿＿。

7. お湯が＿＿＿＿＿＿＿＿＿＿＿＿＿＿＿＿＿＿＿＿＿＿＿＿＿＿＿＿＿＿。
　　ゆ

第18課　4　〜てしまう　　　　　　　　　☞Grammar 3

Ⅰ Translate the sentences, using 〜てしまう.

1. I already finished writing a paper.

2. I finished reading this book.

3. I lost my precious things (regrettably).

4. I borrowed my father's car, but I broke it (regrettably).

5. Since my friend didn't keep her promise, I had a fight (regrettably).

6. Since I quit the job (to my regret), I do not have a job right now.

Ⅱ Complete the dialogue, using 〜ちゃった / じゃった, the casual version of 〜てしまった.

A：冷蔵庫の牛乳がないんだけど……。

B：ごめん。1._____。

A：つくえの上の雑誌もない。

B：ごめん。実は 2._____。

A：……。

第18課 5 ～と

☛Grammar 4

Ⅰ Translate the following sentences, using ～と.

1. Whenever a response doesn't come from a friend, I get uneasy.

2. Whenever I use a computer, (my) eyes hurt (lit., become painful).

3. Whenever I get nervous, I get thirsty.

4. Whenever I take this medicine, I become sleepy.

5. When spring comes, cherry blossoms bloom.

Ⅱ Complete the sentences, using ～と.

1. ＿＿＿＿＿＿＿＿＿＿＿＿＿＿＿＿＿＿＿＿、おなかがすきます。

2. ＿＿＿＿＿＿＿＿＿＿＿＿＿＿＿＿＿＿＿、気分が悪くなります。

3. ＿＿＿＿＿＿＿＿＿＿＿＿＿＿＿＿＿＿＿＿、うれしくなります。

Ⅲ Answer the questions, using ～と.

1. どんな時、寝られませんか。

2. どんな時、恥ずかしくなりますか。

第18課　6　〜ながら　　　　　　　　　　　　　　☞Grammar 5

Ⅰ Describe the pictures, using 〜ながら.

1.

2.

3.

4.

1. _____

2. _____

3. _____

4. _____

Ⅱ Translate the following sentences.

1. I did homework while watching TV.

2. Mary showed me the picture, laughing.

3. I think while taking a walk.

4. You had better not walk and eat at the same time.

Ⅲ Answer the questions, using 〜ながら.

1. たいてい、何_{なに}をしながら勉強_{べんきょう}しますか。

2. 何_{なに}をするのが好_すきですか。

第18課 7 〜ばよかったです   ☛Grammar 6

Ⅰ Translate the sentences, using 〜ばよかったです.

1. レストランに行きましたが、閉まっていました。

   _____

   (I should have called.)

2. 冷蔵庫を買いましたが、すぐ壊れてしまいました。

   _____

   (I should not have bought a cheap one.)

3. ほしかった服が、もう店にありません。

   _____

   (I should have bought those clothes.)

4. 父の大切な時計をなくしてしまったんです。

   _____

   (I should have been more cautious.)

Ⅱ What 〜ばよかったです sentences would you say in the following situations?

1. お金がありません。

2. 気分が悪いです。

3. 試験の成績が悪かったです。

4. かぜをひいてしまいました。

Ⅲ Do you regret having done or not having done something? Describe your regrets, using 〜ばよかったです.

1. _____

2. _____

第18課　8　答えましょう

Ⅰ 日本語で答えてください。

1. あなたのかばんの中に、いつも何が入っていますか。

2. 友だちの物を壊してしまったことがありますか。その時どうしましたか。

3. 音楽を聞きながら、よく何をしますか。

4. 子供の時、何をすればよかったと思いますか。

5. 落ち込んでいる時、何をすると元気になりますか。

Ⅱ 日本語で書いてください。
Write about a failure you had or something you regretted doing.

Example　デートに行く時に友だちからおしゃれな服を借りました。でも、ラーメンを食べている時、その服を汚してしまいました。洗いましたが、きれいになりませんでした。今度からもっと気をつけようと思います。

第18課 9　聞く練習 (Listening Comprehension)
き れんしゅう

A Listen to the dialogue between a mother and a daughter. Mark each of the following statements with ○ if true, or with ✕ if false. 🔊 W18-A

＊クッキー (cookie)　カップラーメン (ramen in a cup)

1. (　　　　) The daughter had dinner with her friend.

2. (　　　　) Tanaka ate the cookies.

3. (　　　　) Her father ate the noodles.

4. (　　　　) The daughter regrets that she did not buy anything at the convenience store.

B Professor Yamashita called the customer service section of a computer company. Listen to the dialogue, and fill in the form. 🔊 W18-B

＊カスタマーサービス (customer service)　ライト (light)　スクリーン (computer screen)

カスタマーサービス

1. 赤いライト　[on / off]
   あか

2. スクリーン　[on / off]

3. 原因 (cause)：
   げんいん

　--

　--

　--

C Listen to the dialogue between Ms. Mori and Mr. Tanaka, and answer the following questions in Japanese. 🔊 W18-C

1. 田中さんは仕事の後、何をしていますか。
   た なか　　　し ごと　あと　なに

2. ロンドンでどんな経験をしましたか。
   けいけん

3. 何をすればよかったと言っていましたか。
   なに　　　　　　　　　　　　い

第19課 1 Honorific Verbs—1 ☛Grammar 1

▶ Rewrite the underlined verbs, using honorific expressions.

1. 先生はご飯を<u>食べました</u>。 → _____

2. 社長はたばこを<u>吸います</u>。 → _____

3. この映画を<u>見ました</u>か。 → _____

4. 部長はあした<u>帰ります</u>。 → _____

5. 先生はきのう学校に<u>来ませんでした</u>。 → _____

6. 社長は<u>結婚しています</u>。 → _____

7. 社長の奥様に<u>会った</u>ことがありますか。 → _____

8. 部長はスペイン語を<u>話します</u>。 → _____

9. 先生は「大丈夫です」と<u>言いました</u>。 → _____

10. 社長は本を<u>くれました</u>。 → _____

11. きのうの夜、何時に<u>寝ました</u>か。 → _____

12. 先生はゴルフを<u>しません</u>。 → _____

13. 何を<u>書いている</u>んですか。 → _____

第19課 2 Honorific Verbs—2　　　　　　　　☛Grammar 1

Ⅰ You are the master of ceremony (司会) at a school party. This is your speech, introducing your professor, who will sing a song. Underline the parts that call for the honorific expressions, and rewrite them.

大川先生を紹介します。大川先生は、イリノイ大学の大学院で勉強した後、

アメリカで日本語を教えていましたが、四年前にさくら大学に来ました。

「最近はとても忙しくて、テレビを見る時間もない」と言っています。この間、

ギターを買ったそうです。今日は「ドナ・ドナ」を歌ってくれます。きのうも

お宅で練習したそうです。じゃあ、大川先生、よろしくお願いします。

Ⅱ Here is the interview with the professor after the performance. Fill in the blanks with appropriate honorific verbs.

司会：大川先生、ありがとうございました。

　　　きのうの夜はよく 1.＿＿＿＿＿＿＿＿＿＿＿＿＿＿＿＿＿か。

先生：いいえ、緊張していたので、あまり寝られませんでした。

司会：そうですか。今晩は何を 2.＿＿＿＿＿＿＿＿んですか。

先生：家族とゆっくり晩ご飯を食べるつもりです。

司会：そうですか。おいしい晩ご飯を 3.＿＿＿＿＿＿＿＿ください。
　　　今日はどうもありがとうございました。

第19課　3　Honorific Verbs—3 • Giving Respectful Advice ☞Grammar 1・2

I Translate the sentences, using honorific expressions.

1. What kind of music do you listen to?

2. Have you seen this movie yet?

3. A famous professor came to our university.

4. The professor made a speech (スピーチをする) at the graduation ceremony.

5. It seems Professor Yamashita is very tired.

II First, complete the "respectful advice" sentences, according to the given cues. Then, choose from the list below the appropriate situation in which you are likely to hear each piece of advice.

1. (　　) こちらに、お名前を＿＿＿＿＿＿＿＿＿＿＿＿＿＿＿＿＿。
　　　　　　　　　　な まえ　　　　　　　　　(write)

2. (　　) 右を＿＿＿＿＿＿＿＿＿＿＿＿＿＿。富士山 (Mt. Fuji) が見えます。
　　　　　みぎ　　　　　(look)　　　　　　ふ じ さん　　　　　　み

3. (　　) 今、混んでいます。こちらで＿＿＿＿＿＿＿＿＿＿＿＿＿＿。
　　　　　いま こ　　　　　　　　　　　(wait)

4. (　　) お皿が熱いですから、気をつけて＿＿＿＿＿＿＿＿＿＿＿＿＿。
　　　　　さら あつ　　　　　　き　　　　　　　　(eat)

a. At a reception desk	c. At a restaurant
b. Outside of a restaurant	d. Bus tour

第19課 4 ～てくれてありがとう　　　☛Grammar 3

Ⅰ Express your appreciation, using ～てくれてありがとう or ～てくださってありがとうございました in the following situations.

1. Your friend drove you home.

2. Your friend lent you money.

3. Your friend showed you around her town.

4. Your boss treated you to dinner.

5. Your teacher wrote you a letter of recommendation.

6. Your teacher invited you to a party.

Ⅱ Write three sentences thanking people.

1. (Said to: _____)

2. (Said to: _____)

3. (Said to: _____)

第19課 　5 　〜てよかったです

☞Grammar 4

I Translate the sentences, using 〜てよかったです.

1. I am glad I studied honorific language.

2. I am glad that I was able to meet Ms. Tanaka.

3. I am glad that it became sunny today.

4. I am glad that I did not quit (my) Japanese studies.

5. I am glad that I did not get on that airplane.

6. I am glad that my grandmother got well.

II Write three things that you are glad you have or have not done, using 〜てよかったです.

1. _____

2. _____

3. _____

第19課　6　〜はずです　　　　　☛Grammar 5

Ⅰ Translate the sentences, using 〜はずです.

1. I believe that Sora will tidy up her room, because her boyfriend will come.

2. I believe that Mary will not cut classes, because she is a good student.

3. I believe that Canada (カナダ) is larger than the United States.

4. I believe that John is good at Chinese, because he lived in China.

Ⅱ Complete the dialogues, using 〜はずです.

1. A：山田さんはとんかつを食べるかな。

　　B：山田さんはベジタリアン (vegetarian) だから、＿＿＿＿＿＿＿＿＿＿＿。

2. 先生：メアリーさんがいませんね。今日はクラスを休むんでしょうか。

　　学生：三十分ぐらい前にメアリーさんを見たので、＿＿＿＿＿＿＿＿＿。

　　　　今日、テストがあるし。

Ⅲ Complete the sentences, using 〜はずでした for the failed predictions.

1. 飛行機は九時に空港に＿＿＿＿＿＿＿＿が、雪で遅れてしまいました。

2. ＿＿＿＿＿＿＿＿＿＿＿＿＿＿＿＿が、別れてしまいました。

第19課　7　答えましょう

Ⅰ 日本語で答えてください。

1. あなたは、自分はどんな性格だと思いますか。

2. 日本のどんな文化に興味がありますか。

3. 日本語を勉強してよかったと思いますか。どうしてですか。

4. 今、だれにお礼を言いたいですか。何と言いたいですか。

5. 最近、怒ったことがありますか。どうして怒りましたか。

Ⅱ あなたの知っている目上の人の生活について、敬語を使って書いてください。
(Write about the daily life of social superiors you know using honorific expressions.)

Example　山田先生は毎日九時に大学にいらっしゃいます。たいてい七時ごろまで大学にいらっしゃいます。昼ご飯は大学の食堂で召し上がります。夜は雑誌をお読みになったり、テレビをご覧になったりするそうです。

第19課 8 聞く練習 (Listening Comprehension)
き れんしゅう

A Listen to the interview with a bestselling writer, Ms. Yamada. Mark each of the following statements with ◯ if true, or with ✕ if false. 🔊 W19-A

＊ベストセラー (bestseller)　おととし (the year before last)　気に入る (be fond of)
き い

1. (　　　) 山田さんは静岡に十五年住んでいます。
やまだ　　しずおか　じゅうごねん す

2. (　　　) 山田さんは散歩しながらいろいろ考えます。
やまだ　　さんぽ　　　　　　かんが

3. (　　　) 山田さんは一日中仕事をします。
やまだ　　いちにちじゅうしごと

4. (　　　) 山田さんは九時ごろ寝ます。
やまだ　　くじ　　ね

5. (　　　) 山田さんは東京でよく映画を見ました。
やまだ　　とうきょう　　えいが み

6. (　　　) 山田さんは東京に住みたいと思っています。
やまだ　　とうきょう す　　　　おも

B Listen to the announcements or short dialogues. Choose the place where you would be most likely to hear them and also what they ask you to do from below. 🔊 W19-B

＊〜行き (bound for 〜)　住所 (address)
い　　　　　　　　　じゅうしょ

Place:	Request:
a. Bank	A. Eat.
b. Someone's dining room	B. Write your name, address, and phone number.
c. Platform	C. Call him after deciding the order.
d. Restaurant	D. Wait for a moment.
e. Travel agency	E. Be careful.

	Place		Request	
1. (	)	—	(	)
2. (	)	—	(	)
3. (	)	—	(	)
4. (	)	—	(	)
5. (	)	—	(	)

C A prince from some country is visiting Japan. Yesterday he visited a small town. Listen to the news reporter and answer the following questions. 🔊 W19-C   ＊王子 (prince)
　　　　　　　　　　　　　　　　　　　　　　　　　　　　　　　おうじ

1. Fill in the blanks below. You don't need to use honorific verbs.

時間 じかん	王子は何をしましたか おうじ　　なに
10:00	駅に着きました。 えき　つ
	(a) _____
	(b) _____
(c) _____	高校生と一緒に昼ご飯を食べました。 こうこうせい　いっしょ　ひる　はん　　た
	(d) _____
	(e) _____
2:00	(f) _____
5:00	(g) 新幹線で_____ しんかんせん

2. Mark each of the following statements with ◯ if true, or with ✕ if false.

   a. (　　　) He had a great time, but he needed more time.

   b. (　　　) His host family lives in Tokyo.

   c. (　　　) He will leave Japan this evening.

第20課　1　**Extra-modest Expressions**

☛Grammar 1

▶ Change the underlined parts into extra-modest expressions.

1.

田中さんはいらっしゃいますか。
たなか

今<u>来ます</u>ので、
いま き
少々お待ち
しょうしょう ま
ください。

→ _____

2.

田中と<u>言います</u>。
たなか い
よろしくお願い<u>します</u>。
ねが

→ _____

3.

お茶をどうぞ。
ちゃ

すみません。
<u>飲みます</u>。
の

→ _____

4.

山本部長はいらっしゃいますか。
やまもと ぶちょう

今日は<u>休んでいます</u>。
きょう やす

→ _____

5.

かばんはこちらに<u>あります</u>。

→ _____

6.

パン<u>です</u>。どうぞ。

→ _____

第20課　2　Humble Expressions—1

☞Grammar 2

▶ Change the underlined parts into humble expressions.

1. 駅で先生に会いました。
   えき　せんせい　あ
   →　_____

2. 先生に本を借りました。
   せんせい　ほん　か
   →　_____

3. 毎朝、部長にお茶をいれます。
   まいあさ　ぶちょう　ちゃ
   →　_____

4. 部長におみやげをもらいました。
   ぶちょう
   →　_____

5. 部長を駅まで送りました。
   ぶちょう　えき　おく
   →　_____

6. 部長の荷物を持ちました。
   ぶちょう　にもつ　も
   →　_____

7. 先生にかさを貸しました。
   せんせい　か
   →　_____

8. 部長の奥様もパーティーに呼びましょう。
   ぶちょう　おくさま　よ
   →　_____

9. 部長の誕生日に花をあげようと思います。
   ぶちょう　たんじょうび　はな　おも
   →　_____

第20課　3　Humble Expressions—2

☛Grammar 2

I Translate the sentences, using humble expressions.

1. Shall I (humbly) give you a ride to (lit., as far as) the station?

2. If you come to my country, I will show you around.

3. Because the department manager's baggage looked heavy, I carried it (for him).

4. Tomorrow is the department manager's birthday, so I intend to give her something.

II This is the story of John's trip to Tokyo. Underline the parts that call for humble expressions and rewrite them.

先週、東京に行って、山田先生に会いました。先生はお元気そうでした。先生
に東京を案内してもらいました。観光してから、レストランに行きました。先
生にごちそうしてもらいました。私は先生に東京の大学について聞きました。

それから、先生に借りていた本を返しました。帰る時、私は先生にオーストラ

リアのおみやげをあげました。とても楽しかったです。

第20課　4　Three Types of Respect Language　☛Grammar 1・2 & L19-Grammar 1

Ⅰ Mr. Noda is interviewing Mr. Tanaka. Fill in the blanks with appropriate expressions.

Noda: 田中さんは、どちらに 1.＿＿＿＿＿＿＿＿＿＿＿＿＿＿＿＿＿＿＿。
　　　　た なか
　　　　　　　　　　　　　　　　　　　(Where do you live?)

Tanaka: 家族と一緒に名古屋に 2.＿＿＿＿＿＿＿＿＿＿＿＿＿＿＿＿＿＿。
　　　　か ぞく　いっしょ　な ご や

N: 今日はどうやって 3.＿＿＿＿＿＿＿＿＿＿＿＿＿＿＿＿＿＿＿＿＿＿。
　　きょう
　　　　　　　　　　　　　(How did you come here today?)

T: 新幹線で 4.＿＿＿＿＿＿＿＿＿＿＿＿＿＿＿＿＿＿＿＿＿＿＿＿＿＿＿＿。
　　しんかんせん

N: ご兄弟が 5.＿＿＿＿＿＿＿＿＿＿＿＿＿＿＿＿＿＿＿＿＿＿＿＿＿＿＿＿。
　　きょうだい
　　　　　　　　　　(Do you have any siblings?)

T: はい。兄が一人 6.＿＿＿＿＿＿＿＿＿＿＿＿＿＿＿＿＿＿＿＿＿＿＿＿。
　　あに　　ひとり

N: そうですか。田中さんは大学院で 7.＿＿＿＿＿＿＿＿＿＿＿＿＿＿＿＿＿。
　　　　　　　　た なか　　だいがくいん
　　　　　　　　　　　　　　　　　(What did you study?)

T: 経済を 8.＿＿＿＿＿＿＿＿＿＿＿＿＿＿＿＿＿＿＿＿＿＿＿＿＿＿＿＿＿＿。
　　けいざい

Ⅱ One of your business associates, Ms. Mori, came to town. Write the following story in Japanese, using honorific expressions and humble expressions.

1.＿＿＿＿＿＿＿＿＿＿＿＿＿＿＿＿＿＿＿＿＿＿＿＿＿＿＿＿＿＿＿＿＿＿＿。
　　　　　　　　　(Ms. Mori arrived at the airport at 9:00.)

2.＿＿＿＿＿＿＿＿＿＿＿＿＿＿＿＿＿＿＿。一緒にゴルフをしに行きました。
　　　　　(I met Ms. Mori for the first time.)　　いっしょ　　　　　　い

3.＿＿＿＿＿＿＿＿＿＿＿＿＿＿＿＿＿＿＿＿＿＿＿＿＿＿＿＿＿＿＿＿＿＿＿。
　　　　　(Ms. Mori didn't bring her clubs [クラブ], so I lent her mine.)

4.＿＿＿＿＿＿＿＿＿＿＿＿＿＿＿＿＿＿＿＿＿＿＿＿＿＿＿＿＿＿＿＿＿＿＿。
　　　　　(I gave her a ride to the hotel around 7:00.)

第20課 5 〜ないで　　　　　　　　　　　　　　☞Grammar 3

Ⅰ Answer the questions, using 〜ないで.

[Example] Q：コーヒーを飲む時、砂糖を入れますか。
　　　　A：いいえ。砂糖を入れないでコーヒーを飲みます。

1. Q：出かける時、天気を調べますか。

　　A：＿＿＿＿＿＿＿＿＿＿＿＿＿＿＿＿＿＿＿＿＿＿＿＿＿＿＿

2. Q：新聞を読む時、辞書を使いますか。

　　A：＿＿＿＿＿＿＿＿＿＿＿＿＿＿＿＿＿＿＿＿＿＿＿＿＿＿＿

3. Q：高い物を買う時、よく考えますか。

　　A：＿＿＿＿＿＿＿＿＿＿＿＿＿＿＿＿＿＿＿＿＿＿＿＿＿＿＿

4. Q：ご飯を食べる時、手を洗いますか。

　　A：＿＿＿＿＿＿＿＿＿＿＿＿＿＿＿＿＿＿＿＿＿＿＿＿＿＿＿

5. Q：料理する時、レシピ (recipe) を見ますか。

　　A：＿＿＿＿＿＿＿＿＿＿＿＿＿＿＿＿＿＿＿＿＿＿＿＿＿＿＿

6. Q：旅行する時、ホテルを予約しますか。

　　A：＿＿＿＿＿＿＿＿＿＿＿＿＿＿＿＿＿＿＿＿＿＿＿＿＿＿＿

Ⅱ Complete the sentences, using 〜ないで.

1. きのう＿＿＿＿＿＿＿＿＿＿＿＿＿＿＿＿＿＿＿＿＿＿＿、寝ました。

2. ＿＿＿＿＿＿＿＿＿＿＿＿＿＿＿＿＿＿＿＿＿＿＿＿、生活しています。

3. ＿＿＿＿＿＿＿＿＿＿＿＿＿＿＿＿、＿＿＿＿＿＿＿＿＿＿＿＿＿＿。

第20課 6 Questions within Larger Sentences   ☞Grammar 4

Ⅰ Fill in the blanks with "questions within larger sentences."

1. _____わかりません。
   (whether or not I will continue Japanese study)

2. _____教えてください。
   (how long it will take to the airport)   おし

3. _____わかりません。
   (what kind of person lives on the second floor)

4. _____。
   (Do you know what Mary's hobby is?)

5. _____。
   (I don't remember who gave me a ride home.)

6. _____。
   (I don't know whether or not [they will] exchange this sweater [for me].)

Ⅱ You are going to meet a fortune teller today. Write three things you want to know about the future.

Example いつ大学を卒業できるか知りたいです。
              だいがく そつぎょう   し

1. _____

2. _____

3. _____

第20課　7　Name という Item　　　☛Grammar 5

Ⅰ Fill in the blanks with 〜という.

1. 最近、＿＿＿＿＿＿＿＿＿＿＿＿＿＿＿＿＿本を読みました。

2. 日本語のクラスで、＿＿＿＿＿＿＿＿＿＿＿人と友だちになりました。

3. この間、初めて＿＿＿＿＿＿＿＿＿＿＿食べ物を食べました。

4. ＿＿＿＿＿＿＿＿＿＿＿＿＿＿でアルバイトをしたことがあります。

5. 今、私の国で＿＿＿＿＿＿＿＿＿＿＿＿＿が人気があります。

Ⅱ Write about your favorite movie, restaurant, singer, and so forth, using という.

Example 「花」というレストランが好きです。安くておいしい料理が食べられますから。

1. ＿＿＿＿＿＿＿＿＿＿＿＿＿＿＿＿＿＿＿＿＿＿＿＿＿＿＿＿＿＿＿＿

　　＿＿＿＿＿＿＿＿＿＿＿＿＿＿＿＿＿＿＿＿＿＿＿＿＿＿＿＿＿＿＿＿

2. ＿＿＿＿＿＿＿＿＿＿＿＿＿＿＿＿＿＿＿＿＿＿＿＿＿＿＿＿＿＿＿＿

　　＿＿＿＿＿＿＿＿＿＿＿＿＿＿＿＿＿＿＿＿＿＿＿＿＿＿＿＿＿＿＿＿

第20課　8　〜やすい / 〜にくい　　　　　　　　☛Grammar 6

I Describe the pictures using 〜やすい / 〜にくい.

1. 　　2. 　　3.

1. 魚は＿＿＿＿＿＿＿＿＿＿＿＿＿＿＿＿＿＿＿＿＿＿＿＿＿。
　さかな

2. 広い道は＿＿＿＿＿＿＿＿＿＿＿＿＿＿＿＿＿＿＿＿＿＿＿。
　ひろ　みち

3. ハイヒール (high heels) は＿＿＿＿＿＿＿＿＿＿＿＿＿＿＿＿＿。

II Read the first half of the sentence and fill in the blanks with the verb stem ＋ やすいです/
にくいです, according to the given cues.

1. ここは物価が安いので、＿＿＿＿＿＿＿＿＿＿＿＿＿＿＿＿＿＿。
　　　ぶっ か　やす　　　　　　　　　　　(live)

2. あの角はせまいので、＿＿＿＿＿＿＿＿＿＿＿＿＿＿＿＿＿＿。
　　　かど　　　　　　　　　　　　　(turn)

3. この歌は音が高いので、＿＿＿＿＿＿＿＿＿＿＿＿＿＿＿＿＿。
　　　うた　おと　たか　　　　　　　　(sing)

4. この携帯は小さくて軽いので、＿＿＿＿＿＿＿＿＿＿＿＿＿＿＿。
　　　けいたい　ちい　　かる　　　　　　(hold)

5. 山下先生はやさしいし、話を聞いてくださるから、＿＿＿＿＿＿＿＿＿
　　やましたせんせい　　　　　　はなし　き　　　　　　　(consult)

＿＿＿＿＿＿＿＿＿。

第20課 9 答えましょう

I 日本語で答えてください。

1. 財布を持たないで買い物に行ったことがありますか。

   (「はい」の時) どうしましたか。

2. 日本語の先生が週末何をしたか知っていますか。

   (「いいえ」の時) 何をしたと思いますか。

3. どんな町が生活しやすいと思いますか。

4. 好きな本／まんが／アニメ／ゲームは何ですか。(Use ～という.)
   どうしてそれが好きですか。

II Write a formal self-introduction using the words below.

申します　　参りました　　（て）おります

第20課 10 聞く練習 (Listening Comprehension)

A You are participating in a sightseeing tour in Kyoto. Listen to the conversation between the tour guide and tourists. 🔊 W20-A　　　＊ガイド (tour guide)　とうふ (tofu)

1. Put the following in order.

| a. 金閣寺　　b. 南禅寺　　c. 竜安寺　　d. 清水寺　　e. みやび |
| きんかくじ　　なんぜんじ　　りょうあんじ　　きよみずでら |

（　　　）→（　　　）→（　　　）→（　　　）→（　　　）

2. Where will they do the following? Choose the places from the list above.

(1) （　　　）トイレに行く
(2) （　　　）昼ご飯を食べる
(3) （　　　）写真を撮る

B Listen to the dialogue in a Japanese class and fill in the blanks. 🔊 W20-B

1. ジョンさんは＿＿＿＿＿＿＿＿＿＿＿＿＿ないで家を出ました。

2. ロバートさんはきのう＿＿＿＿＿＿＿＿＿＿＿ないで寝ました。

3. ソラさんは＿＿＿＿＿＿＿＿＿＿＿ので、自転車をなくしました。

4. 先生は＿＿＿＿＿＿＿＿＿＿＿ないでクラスに来ました。

C Listen to the conversation between two college students and mark each of the following statements with 〇 if true, or with ✕ if false. 🔊 W20-C

1. （　　　）男の人と野村さんは同じサークルです。
2. （　　　）野村さんは、性格がいいし、話しやすいです。
3. （　　　）男の人は、野村さんがどこに住んでいるか知っています。
4. （　　　）男の人は、野村さんの彼女を知っています。

第21課 1 Passive Sentences—1　　　　☛Grammar 1

Ⅰ Fill in the chart.

dictionary form	potential form	passive form	dictionary form	potential form	passive form
e.g. 見る	見られる	見られる	5. さわる		
1. いじめる			6. 泣く		
2. 読む			7. 笑う		
3. 帰る			8. くる		
4. 話す			9. する		

Ⅱ Rewrite the sentences, using passive forms.

1. 田中さんは山田さんをなぐりました。

　　→　山田さんは_____。

2. 山本さんは山田さんをばかにします。

　　→　山田さんは_____。

3. お客さんは山田さんに文句を言います。

　　→　山田さんは_____。

4. どろぼうが山田さんの家に入りました。

　　→　山田さんは_____。

5. どろぼうが山田さんのかばんを盗みました。

　　→　山田さんは_____。

6. 知らない人が山田さんの足を踏みました。

　　→　山田さんは_____。

第21課 2 Passive Sentences—2　　　☞Grammar 1

I Read the following sentences carefully and decide which part can be changed into the passive form. Rewrite the whole sentence.

(Example) となりの人がたばこを吸ったので、のどが痛くなりました。

→　となりの人にたばこを吸われたので、のどが痛くなりました。

1. 私は漢字を間違えたので、子供が笑いました。

　→

2. 友だちが遊びに来たので、勉強できませんでした。

　→

3. 子供の時、よく母は私を兄と比べたので、悲しかったです。

　→

4. 私はよく授業に遅刻するので、先生は怒ります。

　→

5. よく兄が私の車を使うので、困っています。

　→

II Translate the sentences, using passive forms.

1. The baby cries every night (and I am annoyed).

2. Mr. Tanaka's mother often reads his diary (and he is not happy).

3. I was bullied by Kento when I was a child.

4. I had my purse stolen in the classroom.

第21課 3 Passive and 〜てもらう   ☛Grammar 1 & L16-Grammar 1

▶ Describe the following situations, using either passive or 〜てもらう, whichever is appropriate in the given situation.

(Example) My brother cleaned my room.

→ 私は兄に部屋を掃除してもらいました。
  わたし　あに　　へや　　そうじ

My brother threw away my favorite magazine.

→ 私は兄に大切な雑誌を捨てられました。
  わたし　あに　たいせつ　ざっし　　す

1. My brother taught me Japanese.

→ 私は_____。
  わたし

2. My brother broke my camera.

→ 私は_____。
  わたし

3. My brother lent me his comic books.

→ 私は_____。
  わたし

4. My brother ate my chocolate.

→ 私は_____。
  わたし

5. My brother treated me to dinner at a famous restaurant.

→ 私は_____。
  わたし

6. My brother makes a fool of me.

→ 私は_____。
  わたし

7. My brother often bullied me when I was a child.

→ 私は_____。
  わたし

第21課　4　～てある

☛Grammar 2

I Describe the picture, using ～てあります.

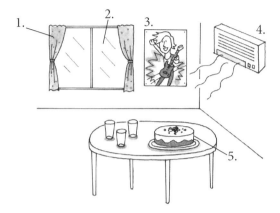

1. _____

2. _____

3. _____

4. _____

5. _____

II Translate the sentences, using ～てあります.

1. It is cold. Is the heater on?

2. The dinner has been made. I hope it is delicious.

3. Two tickets for Kabuki have been bought. Would you like to come with me?

第21課 5 ～ 間に
あいだ

🖙Grammar 3

Ⅰ Translate the following sentences.

1. While I was changing my clothes, my roommate made coffee for me.

2. While the baby is sleeping, I will prepare dinner.

3. While you were taking a bath, there was a phone call.

4. While I was absent (not home), did someone come?

5. While my parents are in Japan, I plan to take them to Hiroshima.

Ⅱ Make your own sentences.

1. ＿＿＿＿＿＿＿＿＿＿＿＿＿＿＿＿＿＿＿＿＿＿間にお金を盗まれました。
　　　　　　　　　　　　　　　　　　　　　　あいだ　　かね　ぬす

2. 昼寝をしている間に＿＿＿＿＿＿＿＿＿＿＿＿＿＿＿＿＿＿＿＿＿。
　ひる ね　　　　　あいだ

3. 日本にいる間に＿＿＿＿＿＿＿＿たり＿＿＿＿＿＿＿たりしたいです。
　に ほん　　　あいだ

4. ＿＿＿＿＿＿＿＿間に＿＿＿＿＿＿＿＿＿＿＿＿＿＿＿ばよかったです。
　　　　　　　あいだ

第21課 6 Adjective ＋する

👉Grammar 4

Ⅰ Translate the following sentences.

1. I have to make the room clean because my parents will come.

2. There are a lot of vocabulary we have to memorize. Please make it less.

3. Twenty thousand yen is too much (lit., too expensive). Would you please make it cheaper?

4. If I were the mayor (市長), I would make the town safer.
   　　　　　　　　し ちょう

5. My dog made my room messy while I was not at home.

Ⅱ What would you want to do if you were the following people? Make sentences, using adjective ＋ する.

(Example)　a Japanese teacher

　　　→　日本語の先生だったら、もっと宿題を多くしたいです。
　　　　　に ほん ご　　せんせい　　　　　　　　しゅくだい　おお

1. the president of a company

　→

2. the president/prime minister

　→

3. (make your own sentence)

　→

第21課 7 ～てほしい　　　　　　　　　　　　　　　　☛Grammar 5

➤ Using the verbs from the list, make sentences appropriate for the given situations. The sentences should mean "I want someone to do/not to do . . . "

静かにする しず	安くする やす	気がつく き	間違えない まちが
続ける つづ	ほめる	忘れない わす	信じる しん

(Example) 友だちはうるさいです。 → 私は友だちに静かにしてほしいです。
　　　　　とも　　　　　　　　　　　　わたし　とも　　　しず

1. 私は髪を短くしたけど、ルームメイトは何も言いません。
　わたし　かみ　みじか　　　　　　　　　　　　　なに　い

　　→

2. 友だちは私がうそをついたと思っていますが、私はうそをついていません。
　とも　　わたし　　　　　　　　おも　　　　　　　わたし

　　→

3. 父は厳しくていつも怒っています。
　ちち　きび　　　　　　　おこ

　　→

4. 先生は私をアンナと呼びます。でも、私はアンです。
　せんせい　わたし　　　　　よ　　　　　　わたし

　　→

5. 政府は税金を高くしました。
　せいふ　ぜいきん　たか

　　→

6. 同僚は仕事をやめたがっています。
　どうりょう　しごと

　　→

7. 友だちはよく約束を忘れます。
　とも　　　　やくそく　わす

　　→

第21課　8　答えましょう

I 日本語で答えてください。

1. 彼／彼女／友だちに何をされたら、悲しくなりますか。

2. 家族やルームメイトが寝ている間に何をしますか。

3. 何か盗まれたことがありますか。何を盗まれましたか。

4. 警察に電話したことがありますか。どうしてですか。

5. 魔法 (magic) が使えたら、何をしますか。（Use ～く／にします.)

6. だれに何をしてほしいですか。どうしてですか。

II 日本語で書いてください。
Write about your worst day. Use the passive for the things other people did that annoyed you. Use your imagination.

Example　朝、電車の中で女の人に足を踏まれた。女の人は何も言わないで、電車を降りた。大学に着いてから、友だちと話していて、日本語の授業に遅れてしまった。宿題も忘れたので、先生に怒られた。……

第21課 9 聞く練習 (Listening Comprehension)
（き）（れんしゅう）

A Listen to the two conversations and fill in the blanks in Japanese. 🔊 W21-A

＊アラーム (alarm)

	男の人の問題 (problems) （おとこ ひと もんだい）	女の人のアドバイス (advice) （おんな ひと）
Dialogue 1		
Dialogue 2		

B Listen to the dialogue between Kento and his friend. Write three unhappy things that happened to him. 🔊 W21-B

1. けんとさんはルームメイトに＿＿＿＿＿＿＿＿＿＿＿＿＿＿＿＿＿＿＿＿。

2. けんとさんはルームメイトに＿＿＿＿＿＿＿＿＿＿＿＿＿＿＿＿＿＿＿＿。

3. けんとさんは＿＿＿＿＿＿＿＿＿＿＿＿＿＿＿＿＿＿＿＿ので、

　　先生に＿＿＿＿＿＿＿＿＿＿＿＿＿。
　　（せんせい）

C Listen to the dialogue between a hotel staff member and a guest, and mark each of the following statements with ○ if true, or with ✕ if false. 🔊 W21-C

1.（　　）お客さんは温泉に行きました。
　　　　（きゃく）（おんせん）（い）
2.（　　）お客さんは財布を温泉に持っていきました。
　　　　（きゃく）（さいふ）（おんせん）（も）
3.（　　）お客さんは部屋のかぎをなくしました。
　　　　（きゃく）（へや）
4.（　　）ホテルの人が警察に連絡します。
　　　　（ひと）（けいさつ）（れんらく）
5.（　　）お客さんは部屋で警察を待ちます。
　　　　（きゃく）（へや）（けいさつ）（ま）

第22課　1　Causative Sentences—1　　　☞Grammar 1

Ⅰ Fill in the chart.

dictionary form	passive form	causative form
e.g. 食べる	食べられる	食べさせる
1. 聞く		
2. 消す		
3. 撮る		
4. 読む		
5. 見る		
6. 呼ぶ		
7. する		
8. 買う		
9. くる		

Ⅱ Translate the following sentences.

1. The department manager made Mr. Yamada make a project plan.

2. The department manager made Mr. Yamada drive the car.

3. The professor makes the students do presentations every week.

4. My parents made me read books when I was a child.

第22課 2 Causative Sentences—2　　　　　　　　　　　☞Grammar 1

➤ Using the verbs from the list, make sentences appropriate for the given situations. The sentences should mean "The boss made the subordinate do . . ."

捨てる　　手伝う　　着替える　　拾う　　コピーを取る
翻訳する　　迎えに来る　　お茶をいれる

Example いらない物がたくさんありました。

→ 部長は部下にいらない物を捨てさせました。

1. 英語の手紙が来ましたが、部長は英語が読めません。

→

2. 部長はのどがかわきました。

→

3. 部長は自分で書類のコピーを取る時間がありませんでした。

→

4. 部長は大きい荷物を持って、空港に着きました。

→

5. 仕事が多すぎて、部長は一人で全部できませんでした。

→

6. お客さんに会いに行く予定ですが、部下はTシャツを着ていました。

→

7. 急いでいたので、部長は書類を落としてしまいました。

→

第22課　3　Causative ＋ てあげる / てくれる
☛Grammar 2

Ⅰ Translate the sentences, using the causative verb ＋ てあげる / てくれる.

1. When I was a child, my parents did not let me own a dog.

2. My father does not let me live alone.

3. My friend sometimes lets me use his car.

4. When I was in high school, my mother did not let me get a driver's license.

5. When we play tennis, I sometimes let my little sister win.

Ⅱ Using a verb in the list below, write a request sentence in the causative ＋ てください pattern appropriate to each of the situations below. The sentences should mean "Please let me do . . . "

| 考える | 会う | ごちそうする | やめる |
| かんが | あ | | |

1. あなたはコンビニでアルバイトしています。でも授業が忙しくなったので、
   続けたくないです。
   →

2. あなたは彼／彼女にプロポーズされましたが、まだ結婚したくないです。
   →

3. 先輩とレストランで昼ご飯を食べました。今日は、あなたがお金を払おうと
   思っています。
   →

4. 先輩は有名人を知っています。あなたはその有名人が大好きです。
   →

第22課　4　Verb Stem ＋ なさい　　　　　　☞Grammar 3

I What would parents say in each situation? Use 〜なさい to complete the dialogues.

1. Parent: _____。

   Child: 私、学校、きらい。今日、休む。
   <small>わたし　がっこう　　　きょう　やす</small>

2. Child: また、にんじん (carrots)？ 私、野菜、きらい。
   <small>わたし　やさい</small>

   Parent: _____。

3. Parent: _____。

   Child: 宿題、やりたくない。ゲームがしたい。
   <small>しゅくだい</small>

4. Parent: _____。

   Child: まだ十一時だよ。まだ眠くない。
   <small>じゅういち じ　　　　　ねむ</small>

5. Parent: _____。

   Child: まだ九時だよ。日曜日は朝寝坊したい。
   <small>く じ　　にちよう び　あさ ね ぼう</small>

6. Child: えっ、この服、着るの？ かっこ悪い (tacky)。
   <small>ふく　き　　　　　　わる</small>

   Parent: _____。

II What did your parents tell you to do when you were young? Use 〜なさい to list them.

1. _____

2. _____

第22課　5　〜ば　　　　　　　　　　　　☞Grammar 4

Ⅰ Translate the sentences, using 〜ば.

1. If you do a preview, you will understand that teacher's class well.

2. If you hurry, you will be on time.

3. If we make a reservation in advance, we will be all right.

4. If the department manager does not object, we can start this project.

5. If you try (doing it), you may be able to do it.

Ⅱ Complete the dialogues, using 〜ば.

1. A：漢字がぜんぜん覚えられないんです。

   B：＿＿＿＿＿＿＿＿＿＿＿＿＿＿＿＿＿＿＿＿＿＿＿＿＿＿＿＿。

2. A：かぜをひいてしまいました。

   B：＿＿＿＿＿＿＿＿＿＿＿＿＿＿＿＿＿＿＿＿＿＿＿＿＿＿＿＿。

Ⅲ Answer the following questions.

1. どうすればいい友だちができますか。

2. どうすれば楽な生活ができますか。

3. どうすればみんなが幸せになりますか。

第22課　6　〜のに　　　　　　　　　　　　　　　☛Grammar 5

I Translate phrases 1 through 5, using 〜のに, and match them up with the appropriate continuations.

1. _____　・
 (though I have a final exam today)

2. _____　・
 (though I practiced every day)

3. _____　・
 (though I gave that person a present)

4. _____　・
 (though they are brothers)

5. _____　・
 (though the colleague is not busy)

・a. 手伝ってくれません。
　　 てつだ

・b. 勉強しませんでした。
　　 べんきょう

・c. 仲がよくないです。
　　 なか

・d. 負けてしまいました。
　　 ま

・e. 「ありがとう」と
　　 言いませんでした。
　　 い

II Complete the following sentences.

1. 彼は免許を持っていないのに_____ので、
　 かれ めんきょ も
　 警察に捕まりました。
　 けいさつ つか

2. 彼女はよく授業をサボるのに、_____。
　 かのじょ じゅぎょう

3. _____のに、彼は文句を言いません。
　　　　　　　　　　　　　　　　　　　　 かれ もんく い

4. _____のに、ふられてしまいました。

第22課　7　〜のように / 〜のような

☛Grammar 6

I Complete the sentences, using 〜のように.

1. _____さんは_____かわいいです。

2. _____さんは_____歌が上手です。
　　　　　　　　　　　　　　　　　　　　　　　　　　　　　うた　　じょうず

3. 私は_____のように_____。
　わたし

II Complete the sentences, using 〜のような.

1. 私は_____映画が好きです。
　わたし　　　　　　　　　　　　　　　　　　　　　　　　　　えいが　す

2. 私は_____ところに住みたくないです。
　わたし　　　　　　　　　　　　　　　　　　　　　　　　　　　す

3. 私は_____大きい会社に就職したいです。
　わたし　　　　　　　　　　　　　　　　　　　　おお　　かいしゃ　しゅうしょく

III Translate the sentences, using 〜のように / 〜のような.

1. Today it's hot like summer.

2. I want to be a person like my grandfather.

3. When she got lost, she cried like a child.

4. Sora is fluent in Japanese like a Japanese person.

5. I have never met a lazy person like you.

第22課 8 答えましょう

Ⅰ 日本語で答えてください。

1. 親になったら、子供に何を習わせたいですか。どうしてですか。

2. どうすれば、いい成績が取れると思いますか。あなたはそれをしていますか。

3. どんな人になりたいですか。どうしてですか。(Use ～のような.)

4. 高校の時、あなたの親はあなたに何をさせてくれましたか。何をさせてくれませんでしたか。

Ⅱ 日本語で書いてください。

Write about your childhood; what teachers/parents made/let you do, what you were learning, how you spent your free time, etc.

Example 小学校の時、先生は一週間に一回、読んだ本のレポートを書かせました。家では、母はいつも私に「早く宿題をしなさい」と言いました。でも宿題が終わったら、ゲームを三十分させてくれました。……

第22課 9 聞く練習 (Listening Comprehension)
き れんしゅう

A A married couple has just had a baby girl. They are talking about what they want her to do in the future. Go over the list and write W for the ones only the wife wants, write H for the ones only the husband wants, and write B for the ones they both agree on. 🔊 W22-A

＊この子 (this child)　バイオリン (violin)
こ

1. (　　　) 英語を習う　　　4. (　　　) ピアノを習う　　　7. (　　　) 結婚する
えい ご なら　　　　　　　　　なら　　　　　　　　　　　けっこん

2. (　　　) 空手を習う　　　5. (　　　) バイオリンを習う
から て なら　　　　　　　　　　　なら

3. (　　　) テニスを習う　　　6. (　　　) 留学する
なら　　　　　　　　　りゅうがく

B Listen to the dialogue between two high school students, Kei and Megumi. Mark ◯ for what Kei is allowed to do now or what she will probably be allowed to do when she is in college. 🔊 W22-B

	今 いま	大学生になったら だいがくせい
友だちと旅行する とも りょこう		
アルバイトをする		
一人暮らしをする ひとり ぐ	—	

C Ms. Watanabe is a tour conductor. Her tour group is now in a foreign country and has just arrived at a hotel. Listen to the conversation between her and the tour participants and answer the questions in Japanese. 🔊 W22-C

＊日本語しか話せない (can speak only Japanese)
に ほん ご　　 はな

1. (About the first person)

どこに行きますか。どうやって行きますか。
い　　　　　　　　　　　　　い

2. (About the second person)

何をほしがっていますか。どこに行きますか。
なに　　　　　　　　　　　　　　い

3. (About the third person)

どこに行きますか。どうしてですか。
い

第23課 1 Causative-passive Sentences—1　　　　☛Grammar 1

Ⅰ Fill in the chart.

dictionary form	causative form	causative-passive form
e.g. 食_たべる	食_たべさせる	食_たべさせられる
1. 答_{こた}える		
2. 待_まつ		
3. 歌_{うた}う		
4. 話_{はな}す		
5. 書_かく		
6. 入_いれる		
7. 飲_のむ		
8. 訳_{やく}す		
9. 作_{つく}る		
10. する		
11. くる		
12. 受_うける		

Ⅱ Describe the pictures with the causative-passive form.

e.g. 毎日勉強する
まいにちべんきょう

たろう　　　　　　親
　　　　　　　　　おや

1. アイロンをかける

ゆみ　　　　　　　お母さん
　　　　　　　　　　かあ

2. ボールを拾う
　　　　　ひろ

ひろこ　　　　　　先輩
　　　　　　　　　せんぱい

3. コピーを取る
　　　　　　と

たけし　　　　　　部長
　　　　　　　　　ぶちょう

Example　たろうさんは親に毎日勉強させられます。
　　　　　　　　　おや　まいにちべんきょう

1. ＿＿＿＿＿＿＿＿＿＿＿＿＿＿＿＿＿＿＿＿＿＿＿＿＿＿＿＿＿

2. ＿＿＿＿＿＿＿＿＿＿＿＿＿＿＿＿＿＿＿＿＿＿＿＿＿＿＿＿＿

3. ＿＿＿＿＿＿＿＿＿＿＿＿＿＿＿＿＿＿＿＿＿＿＿＿＿＿＿＿＿

第23課 2 Causative-passive Sentences—2　　　☛Grammar 1

I You were forced to do the things below. Rewrite the sentences, using the causative and the causative-passive forms.

(Example) 私はきらいな食べ物を食べました。
　　　→　母は私にきらいな食べ物を食べさせました。　　　(causative)
　　　→　私は母にきらいな食べ物を食べさせられました。(causative-passive)

1. 私は宿題を手伝いました。

　→　弟は_____。

　　　私は_____。

2. 私はペットの世話をしました。

　→　親は_____。

　　　私は_____。

3. 私はお皿を洗いました。

　→　親は_____。

　　　私は_____。

II Answer the following questions.

1. 子供の時、あなたは親／兄弟に何をさせられましたか。

2. 高校の時、あなたは先生に何をさせられましたか。

3. 最近、だれに何をさせられましたか。

第23課 3 **Passive and Causative-passive**　　☞Grammar 1 & L21-Grammar 1

➤ Describe the following situations from your point of view, using passive or causative-passive sentences that start with 私は.

(Example)　A thief stole my camera.

→　私はどろぼうにカメラを盗まれました。

My mother made me wash her car.

→　私は母に車を洗わされました。

1. My friend laughed at me.

　→

2. My parents forced me to learn karate.

　→

3. My parents made me give up travel.

　→

4. My friend talked behind my back when I was a child.

　→

5. My mother forced me to brush my teeth three times a day.

　→

6. My friend made me wait for one hour at the station.

　→

7. The customer complained to me.

　→

8. A mosquito stung me.

　→

第23課 4 ～ても　☛Grammar 2

Ⅰ Translate the sentences, using ～ても / でも.

1. I will not go out, even if it stops raining.

2. My friend says nothing, even if I don't keep a promise.

3. Even if an exam is difficult, I will not cheat.

4. Please do not be disappointed, even if the result is not good.

5. I don't want it, even if it is free.

Ⅱ Complete the following sentences.

1. ＿＿＿＿＿＿＿＿＿＿＿＿＿＿＿＿＿＿＿＿ も、泣きません。

2. ＿＿＿＿＿＿＿＿＿＿＿＿＿＿＿＿＿＿＿＿ も、我慢します。

3. いい成績が取れなくても、＿＿＿＿＿＿＿＿＿＿＿＿＿＿＿＿＿。

4. ＿＿＿＿＿＿＿＿＿ に反対されても、＿＿＿＿＿＿＿＿＿＿。

5. ＿＿＿＿＿＿＿＿＿ がまずくても、＿＿＿＿＿＿＿＿＿＿＿。

第23課　5　〜ことにする　　　☛Grammar 3

I Translate the following sentences.

1. Sora has decided to take the examination next year.

2. Ken has decided not to get a job this year.

3. Since the deadline for the paper is tomorrow, John has decided to stay up all night.

4. I have decided to do research about health and the environment.

5. Since I might become sick, I have decided to buy insurance.

II Complete the sentences, using 〜ことにしました.

1. 授業が休講になったので、＿＿＿＿＿＿＿＿＿＿＿＿＿＿＿＿＿＿＿＿＿＿＿＿。
   じゅぎょう　きゅうこう

2. かぜをひいたので、＿＿＿＿＿＿＿＿＿＿＿＿＿＿＿＿＿＿＿＿＿＿＿＿＿＿。

3. 雨がやんだので、＿＿＿＿＿＿＿＿＿＿＿＿＿＿＿＿＿＿＿＿＿＿＿＿＿＿＿。
   あめ

4. 優勝したいから、＿＿＿＿＿＿＿＿＿＿＿＿＿＿＿＿＿＿＿＿＿＿＿＿＿＿＿。
   ゆうしょう

5. 日本語が上手になりたいので、＿＿＿＿＿＿＿＿＿＿＿＿＿＿＿＿＿＿＿＿＿。
   に ほん ご　じょう ず

第23課 6 〜ことにしている　　　☞Grammar 4

Ⅰ The following are what Sora makes a habit/policy of doing. Express them with 〜ことに
しています.

　1. run every day for her health

　　　→　ソラさんは

　2. not go to unsafe places

　　　→　ソラさんは

　3. use stairs without using an elevator (エレベーター)

　　　→　ソラさんは

　4. not talk behind someone's back

　　　→　ソラさんは

　5. call her parents once a week

　　　→　ソラさんは

　6. not be absent from the class, even if she is sick

　　　→　ソラさんは

　7. not get angry, even if her younger brother tells her a lie

　　　→　ソラさんは

Ⅱ Answer the following questions.

　1. 毎日何をすることにしていますか。
　　　まいにちなに

　2. 何をしないことにしていますか。どうしてですか。
　　　なに

第23課　7　〜まで　　　　　　　　　　　　☛Grammar 5

I Translate the following sentences.

1. I will not travel till I save money.

2. Could you wait (for me) till my homework is finished?

3. You must not drink alcohol until you become 20 years old.

4. You may stay at my house till you find an apartment.

5. You must take care of your pets till they die.

6. I had to wait till the rain stopped.

II Answer the questions, using a verb ＋ まで.

1. いつまで日本語の勉強を続けるつもりですか。
にほんご べんきょう つづ

2. いつまで親と住むつもりですか／住んでいましたか。
おや す す

3. いつまで今住んでいる町にいるつもりですか。
います まち

第23課 8 ～方
_{かた}

☛Grammar 6

Ⅰ Translate the following sentences.

1. I don't know how to use this app.

2. Please explain how to order.

3. I want to know how to make tasty green tea.

4. Could you teach me how to grow (raise) vegetables?

Ⅱ Complete the following dialogues.

1. A：すみません。単語の覚え方を教えてくれませんか。
_{たん ご　　おぼ　かた　　おし}

　 B：_____

　 　 _____。

2. A：すみません。_____を教えてくれませんか。
_{おし}

　 B：_____

　 　 _____。

第23課 9 答えましょう

Ⅰ 日本語で答えてください。

1. 最近、したくないことをさせられましたか。何をさせられましたか。

2. あなたのモットー (motto) は何ですか。二つ書いてください。

   (Use ～ても and ～することにしている.)

   Example 天気が悪くても、学校を休まないことにしています。

   (1)

   (2)

3. どんな人に我慢できませんか。

4. 最近がっかりしたことがありますか。どうしてがっかりしましたか。

5. 日本語の試験の前にどうやって勉強しますか。勉強のし方を書いてください。

Ⅱ 日本語のクラスでどんな思い出がありますか。
（先生に何をさせられましたか。何をしてよかったですか。何をすればよかったですか。）

第23課 10 聞く練習 (Listening Comprehension)
き　れんしゅう

A Listen to the dialogues between colleagues. Mark ○ for what Mr. Yamada (Dialogue 1) and Kazuki (Dialogue 2) are made to do. 🔊 W23-A　　　＊ジョギング (jogging)

Dialogue 1:　山田
　　　　　　　　　やまだ

a. (　　　　) ジョギングをする　　　　d. (　　　　) 奥さんを店に車で送る
　　　　　　　　　　　　　　　　　　　　　　　　　おく　　みせ　くるま　おく

b. (　　　　) 買い物をする　　　　　　e. (　　　　) 奥さんの買い物が終わるまで待つ
　　　　　　　か　もの　　　　　　　　　　　　　　おく　　　か　もの　お　　　　　　ま

c. (　　　　) 奥さんを起こす　　　　　f. (　　　　) 奥さんにプレゼントを買う
　　　　　　　おく　　　お　　　　　　　　　　　　　おく　　　　　　　　　　　か

Dialogue 2:　かずき

a. (　　　　) コーヒーをいれる　　　　d. (　　　　) スマホを見る
　　　　　　　　　　　　　　　　　　　　　　　　　　　　　み

b. (　　　　) お弁当を買いに行く　　　e. (　　　　) コピーを取る
　　　　　　　べんとう　か　い　　　　　　　　　　　　　　　　と

c. (　　　　) 空港に迎えに行く　　　　f. (　　　　) お菓子を作る
　　　　　　　くうこう　むか　い　　　　　　　　　　　かし　つく

B Listen to the dialogues and mark ○ if the statement is true, × if it is not. 🔊 W23-B

＊声優 (voice actor)
せいゆう

Dialogue 1:

a. (　　　　) 花子は別れたがっている。
　　　　　　　はなこ　わか

b. (　　　　) 太郎は花子といっしょにイギリスに行く。
　　　　　　　たろう　はなこ　　　　　　　　　　　い

Dialogue 2:

a. (　　　　) 男の人は、今の会社でやりたい仕事ができない。
　　　　　　　おとこ　ひと　いま　かいしゃ　　　　　しごと

b. (　　　　) 男の人は、声優の学校に入れるまでアルバイトをする。
　　　　　　　おとこ　ひと　せいゆう　がっこう　はい

C Yuki helps international students at the office. Listen to the two dialogues and fill in the chart in Japanese. 🔊 W23-C　　　＊カード (card)

	学生の知りたいこと がくせい　し	ゆきさんのアドバイス
Dialogue 1		
Dialogue 2		

読み書き編

よ か へん

Reading and Writing

第13課 1 Kanji Practice

146 物	物	物	物					
147 鳥	鳥	鳥	鳥					
148 料	料	料	料					
149 理	理	理	理					
150 特	特	特	特					
151 安	安	安	安					
152 飯	飯	飯	飯					
153 肉	肉	肉	肉					
154 悪	悪	悪	悪					
155 体	体	体	体					
156 同	同	同	同					
157 着	着	着	着					
158 空	空	空	空					
159 港	港	港	港					
160 昼	昼	昼	昼					
161 海	海	海	海					

クラス [   ]   なまえ [

第13課 2 Using Kanji

➤ Rewrite the *hiragana* with an appropriate mix of kanji and *hiragana*. Rewrite the kanji with *hiragana*.

1. 私の_____で、日本の_____と_____は高いです。
   　　　　国　　　　　　　　　　　たべもの　　　　のみもの

2. 私は_____ _____の_____が好きです。
   　　　　とくに　　　とり　　にく

3. _____に_____に_____。
   　ひる　　　くうこう　　　　　つきました

4. _____は_____、_____ _____を食べています。
   　あさごはん　　　　　　毎日　　　　　おなじ　　もの

5. _____、_____に行きました。その_____、
   　　　　先月　　　　　うみ　　　　　　　　　　時

   _____を買いました。
   　みずぎ

6. _____ _____が_____なります。
   　　　時々　　　　　　　気分　　　　　わるく

7. お母さんは、_____は_____、_____にいいと言います。
   　　　　　　　ごはん　　　　やすくて　　　からだ

8. _____に_____の経験でした。
   　　　　一生　　　　　　　　一度　　　　　けいけん

9. _____の後、_____をして、_____を食べました。
   　かいもの　　　　　りょうり　　　　　ひるごはん

10. 日本で_____を_____みたいです。
    　　　きもの　　　　きて

第14課 1 Kanji Practice

162	彼	彼	彼	彼						
163	代	代	代	代						
164	留	留	留	留						
165	族	族	族	族						
166	親	親	親	親						
167	切	切	切	切						
168	英	英	英	英						
169	店	店	店	店						
170	去	去	去	去						
171	急	急	急	急						
172	乗	乗	乗	乗						
173	当	当	当	当						
174	音	音	音	音						
175	楽	楽	楽	楽						
176	医	医	医	医						
177	者	者	者	者						

第14課　2　Using Kanji

> Rewrite the *hiragana* with an appropriate mix of kanji and *hiragana*. Rewrite the kanji with *hiragana*.

1. 私の＿＿＿はとても＿＿＿＿＿です。二歳＿＿＿＿＿＿＿＿です。
　　　　かれ　　　　　　しんせつ　　　　さい　　　　年上

2. ＿＿＿＿＿＿＿＿＿、＿＿＿＿＿するので、＿＿＿＿＿は
　　　二か月後　　　　　りゅうがく　　　　　　かぞく

心配しています。
しんぱい

3. その＿＿＿の人は＿＿＿＿＿が＿＿＿＿＿＿でした。
　　　　みせ　　　　　えいご　　　　上手

4. ＿＿＿＿＿＿　＿＿＿＿＿になって＿＿＿＿＿に行きました。
　　きゅうに　　　びょうき　　　　　いしゃ

5. ＿＿＿＿＿は＿＿＿＿＿＿　＿＿＿＿＿＿＿＿です。
　　きょねん　　　ほんとうに　　　たのしかった

6. 東京から＿＿＿＿＿＿＿まで飛行機に＿＿＿＿＿＿＿＿。
　　　　　　北海道　　　　ひこうき　　　　　のりました

7. ＿＿＿＿＿は＿＿＿＿＿＿で、専攻は＿＿＿＿＿です。
　　かのじょ　　　りゅうがくせい　　せんこう　　おんがく

8. 大学＿＿＿＿＿の友だちに＿＿＿＿＿＿＿＿会っていません。
　　　じだい　　　　　　　三年間

9. 仕事の後、＿＿＿＿＿をして、＿＿＿＿＿帰ります。
　　　　　かいもの　　　　　いそいで

10. 子どもの時、＿＿＿＿＿が髪を＿＿＿＿＿くれました。
　　　　　ちちおや　　かみ　　きって

第15課 ｜ 1 Kanji Practice

178	死	死	死	死					
179	意	意	意	意					
180	味	味	味	味					
181	注	注	注	注					
182	夏	夏	夏	夏					
183	魚	魚	魚	魚					
184	寺	寺	寺	寺					
185	広	広	広	広					
186	足	足	足	足					
187	転	転	転	転					
188	借	借	借	借					
189	走	走	走	走					
190	場	場	場	場					
191	建	建	建	建					
192	地	地	地	地					
193	通	通	通	通					

第15課 2 Using Kanji

▶ Rewrite the *hiragana* with an appropriate mix of kanji and *hiragana*. Rewrite the kanji with *hiragana*.

1. ＿＿＿＿＿＿＿＿に、友だちに＿＿＿＿＿＿＿を＿＿＿＿＿＿＿＿＿。
   なつやすみ　　　　　　　　　　じてんしゃ　　　　　　　かりました

2. 毎日、駅の＿＿＿＿＿＿を＿＿＿＿＿＿＿。
   えき　　　ちか　　　　とおります

3. ＿＿＿＿＿＿の中で＿＿＿＿＿＿はいけません。
   たてもの　　　　　　はしって

4. この漢字の＿＿＿＿＿＿を教えてください。
   かんじ　　　いみ　　　おし

5. 私は毎年、＿＿＿にその＿＿＿＿＿＿に行きます。
   なつ　　　　おてら

6. ＿＿＿＿には＿＿＿がありません。
   さかな　　　あし

7. この＿＿＿＿＿で＿＿＿＿＿＿＿の人が＿＿＿＿＿＿＿＿。
   ばしょ　　　二十万人　　　　　　　しにました

8. この道は＿＿＿＿＿ですが、車に＿＿＿＿＿＿してください。
   ひろい　　　　　　ちゅうい

9. ＿＿＿＿＿＿、子供が＿＿＿＿＿＿＿＿。
   今年　　　こども　　生まれました

10. ＿＿＿＿＿に＿＿＿＿＿＿＿ ＿＿＿＿＿があります。
    ちかく　　　有名な　　　じんじゃ

11. その島は＿＿＿＿＿＿＿暖かいので、＿＿＿＿＿＿があります。
    しま　　　一年中　　あたた　　　　人気

12. ＿＿＿の島で生活を＿＿＿＿＿＿＿います。
    みなみ　しま せいかつ　たのしんで

第16課 1 Kanji Practice

194	供	供	供	供						
195	世	世	世	世						
196	界	界	界	界						
197	全	全	全	全						
198	部	部	部	部						
199	始	始	始	始						
200	週	週	週	週						
201	考	考	考	考						
202	開	開	開	開						
203	屋	屋	屋	屋						
204	方	方	方	方						
205	運	運	運	運						
206	動	動	動	動						
207	教	教	教	教						
208	室	室	室	室						
209	以	以	以	以						

第16課　2　Using Kanji

➤ Rewrite the *hiragana* with an appropriate mix of kanji and *hiragana*. Rewrite the kanji with *hiragana*.

1. ＿＿＿＿＿＿＿は私たちの＿＿＿＿＿＿＿です。
   せかい　　　　　　　　　きょうしつ

2. 私は＿＿＿＿＿＿の時、よく＿＿＿＿＿＿しました。
   　　　こども　　　　　　　　うんどう

3. ＿＿＿＿＿＿、＿＿＿＿＿＿で＿＿＿＿＿＿＿ください。
   ぜんぶ　　　　じぶん　　　　かんがえて

4. うちでは私＿＿＿＿＿＿、＿＿＿＿＿＿その番組を見ています。
   　　　　　いがい　　　　まいしゅう　　ばんぐみ

5. ＿＿＿＿＿＿の窓を＿＿＿＿＿＿＿、＿＿＿＿＿＿を見ます。
   　へや　　　まど　　　あけて　　　　　　空

6. あの先生は＿＿＿＿＿＿＿＿＿＿の＿＿＿＿＿＿です。
   　　　　　　　小学生　　　　　　みかた

7. 授業が＿＿＿＿＿＿＿前に宿題を＿＿＿＿＿＿＿ください。
   じゅぎょう　はじまる　　しゅくだい　出して

8. ＿＿＿＿に帰って＿＿＿＿＿＿を＿＿＿＿＿＿＿。
   くに　　　　ほんや　　　　はじめます

9. ＿＿＿＿＿＿＿　＿＿＿＿＿＿＿、父に＿＿＿＿＿＿を＿＿＿＿＿＿
   せんしゅう　　いっしゅうかん　　　　うんてん　　　　おしえて

   もらいました。

10. パソコンを＿＿＿＿＿＿＿、レポートを＿＿＿＿＿＿＿＿＿。
    　　　　　つかって　　　　　　　　かきました

第17課 1 Kanji Practice

210	野	野	野	野						
211	習	習	習	習						
212	主	主	主	主						
213	歳	歳	歳	歳						
214	集	集	集	集						
215	発	発	発	発						
216	表	表	表	表						
217	品	品	品	品						
218	写	写	写	写						
219	真	真	真	真						
220	字	字	字	字						
221	活	活	活	活						
222	結	結	結	結						
223	婚	婚	婚	婚						
224	歩	歩	歩	歩						

第17課 2 Using Kanji

▶ Rewrite the *hiragana* with an appropriate mix of kanji and *hiragana*. Rewrite the kanji with *hiragana*.

1. ＿＿＿＿＿＿＿は＿＿＿＿＿を＿＿＿＿＿＿＿＿＿＿。
　　　二人　　　　　　けっこん　　　　　はっぴょうしました

2. きれいな＿＿＿＿＿を＿＿＿＿＿＿います。
　　　　　　しゃしん　　　　あつめて

3. ＿＿＿＿＿さんの＿＿＿＿＿＿は＿＿＿＿＿＿です。
　　　おの　　　　　　ごしゅじん　　　　さんじゅっさい

4. ＿＿＿＿＿が好きなので、ピアノを＿＿＿＿＿＿います。
　　　おんがく　　　　　　　　　　　　ならって

5. ＿＿＿＿＿をたくさん＿＿＿＿＿＿＿＿＿＿。
　　　さくひん　　　　　　　作りました

6. あの人は、＿＿＿＿＿＿＿＿＿＿＿に、＿＿＿＿＿音楽の
　　　　　　　　　八十年代　　　　　　　　おもに

＿＿＿＿＿で＿＿＿＿＿しました。
　　ぶんや　　　かつどう

7. この＿＿＿＿＿を＿＿＿＿＿＿書いて覚えてください。
　　　もじ　　　　　何度も　　　　　　　おぼ

8. ＿＿＿＿＿＿、＿＿＿＿＿に行きます。
　　あるいて　　　しごと

9. 彼は＿＿＿＿＿＿、＿＿＿＿＿で＿＿＿＿＿しました。
　　　その後　　　　ながの　　　　せいかつ

10. 友だちの宿題を＿＿＿＿＿のはよくないです。
　　　　しゅくだい　　うつす

第18課 1 Kanji Practice

225 目	目	目	目					
226 的	的	的	的					
227 洋	洋	洋	洋					
228 服	服	服	服					
229 堂	堂	堂	堂					
230 力	力	力	力					
231 授	授	授	授					
232 業	業	業	業					
233 試	試	試	試					
234 験	験	験	験					
235 貸	貸	貸	貸					
236 図	図	図	図					
237 館	館	館	館					
238 終	終	終	終					
239 宿	宿	宿	宿					
240 題	題	題	題					

第18課 2 Using Kanji

▶ Rewrite the *hiragana* with an appropriate mix of kanji and *hiragana*. Rewrite the kanji with *hiragana*.

1. ＿＿＿＿＿＿＿＿＿で食べてから、＿＿＿＿＿＿＿＿＿に行きます。
   しょくどう　　　　　　　　　　　えいがかん

2. この＿＿＿＿＿＿＿＿の＿＿＿＿＿＿＿は何ですか。
   じゅぎょう　　　　もくてき

3. その＿＿＿＿＿＿＿＿を＿＿＿＿＿＿＿＿ください。
   ようふく　　　　　かして

4. ＿＿＿＿＿＿＿＿＿＿＿＿＿＿、＿＿＿＿＿＿＿＿が＿＿＿＿＿＿＿＿＿＿＿＿＿。
   来週　　　　　　　　しけん　　　　　　おわります

5. ＿＿＿＿＿＿＿＿＿＿＿、＿＿＿＿＿＿＿＿＿＿＿＿を払わなければいけません。
   毎月　　　　　　　　電気代　　　　　　　はら

6. 私の＿＿＿＿＿＿＿＿＿＿友だちは、＿＿＿＿＿＿＿＿＿がとても上手です。
   親しい　　　　　　　　　　空手

7. その＿＿＿＿＿＿＿＿＿＿＿＿＿＿＿と＿＿＿＿＿＿＿＿＿＿＿＿＿＿＿＿＿は
   男子学生　　　　　　　　　　　　女子学生

   ＿＿＿＿＿＿＿＿＿＿で＿＿＿＿＿＿＿＿をしていました。
   としょかん　　　　しゅくだい

8. 一週間に＿＿＿＿＿＿＿ ＿＿＿＿＿＿＿＿＿、＿＿＿＿＿＿＿をしています。
   三日　　　　　　以上　　　　　　ちからしごと

9. ＿＿＿＿にコンタクトを＿＿＿＿＿＿＿＿から、＿＿＿＿を着ました。
   め　　　　　　　　　　入れて　　　　　　ふく

10. ＿＿＿＿＿＿＿＿で＿＿＿＿＿＿＿をもらいました。
    りょかん　　　　ちず

第19課　1　Kanji Practice

241 春	春	春	春					
242 秋	秋	秋	秋					
243 冬	冬	冬	冬					
244 花	花	花	花					
245 様	様	様	様					
246 不	不	不	不					
247 姉	姉	姉	姉					
248 兄	兄	兄	兄					
249 漢	漢	漢	漢					
250 卒	卒	卒	卒					
251 工	工	工	工					
252 研	研	研	研					
253 究	究	究	究					
254 質	質	質	質					
255 問	問	問	問					
256 多	多	多	多					

第19課 2 Using Kanji

▶ Rewrite the *hiragana* with an appropriate mix of kanji and *hiragana*. Rewrite the kanji with *hiragana*.

1. ＿＿＿＿＿＿＿＿＿と＿＿＿＿＿＿＿＿＿によろしくお伝えください。
　　おにいさん　　　　おねえさん　　　　　　　　つた

2. ＿＿＿より＿＿＿のほうが好きです。
　　はる　　　あき

3. ＿＿＿は＿＿＿＿＿の歴史を＿＿＿＿＿＿＿＿います。
　　あね　　　かんじ　　　れきし　　　けんきゅうして

4. ＿＿＿は＿＿＿があまり咲きません。
　　ふゆ　　　はな　　　　　　さ

5. ＿＿＿＿＿＿では名前の後ろに「＿＿＿＿」と書きます。
　　てがみ　　　　　　　　　　　　さま

6. ＿＿＿＿＿＿が＿＿＿＿＿＿、＿＿＿＿＿＿です。
　　しつもん　　　　おおくて　　　　ふあん

7. 大学で＿＿＿＿＿を勉強しています。＿＿＿＿＿、＿＿＿＿＿＿＿。
　　　　こうがく　　　　　　　　　　　　らいねん　　そつぎょうします

8. 時々、日本の＿＿＿＿＿＿＿を＿＿＿＿＿＿＿＿＿＿。
　　　　　　　友人　　　　　　　思い出します

9. 彼は＿＿＿＿＿＿な友だちです。とても＿＿＿＿＿＿になりました。
　　　　大切　　　　　　　　　　　　　　お世話

10. ＿＿＿が東京の＿＿＿＿＿＿＿＿に入ったので、
　　あに　　　　　　　大学院

＿＿＿＿＿＿＿に遊びに行きます。
　　ふゆやすみ　　　あそ

第20課　1　Kanji Practice

257 皿	皿	皿	皿					
258 声	声	声	声					
259 茶	茶	茶	茶					
260 止	止	止	止					
261 枚	枚	枚	枚					
262 両	両	両	両					
263 無	無	無	無					
264 払	払	払	払					
265 心	心	心	心					
266 笑	笑	笑	笑					
267 絶	絶	絶	絶					
268 対	対	対	対					
269 痛	痛	痛	痛					
270 最	最	最	最					
271 続	続	続	続					

第20課　2　Using Kanji

▶ Rewrite the *hiragana* with an appropriate mix of kanji and *hiragana*. Rewrite the kanji with *hiragana*.

1. ＿＿＿＿＿の中で＿＿＿＿＿＿＿＿いましたが、話を＿＿＿＿＿＿＿＿＿＿＿。
　　こころ　　　　　　わらって　　　　　　　　　　　　　　　つづけました

2. ＿＿＿＿＿で食べる時は、たいてい＿＿＿＿＿＿が＿＿＿＿＿くれます。
　　外　　　　　　　　　　　　りょうしん　　　　はらって

3. その＿＿＿は＿＿＿＿三＿＿＿でした。
　　　　さら　　いちまい　　りょう

4. 日本語で説明したかったんですが、＿＿＿＿＿＿でした。
　　　　　せつめい　　　　　　　　　　むり

5. ＿＿＿＿＿の＿＿＿＿と大学＿＿＿＿＿の＿＿＿＿＿をしました。
　　ちゃみせ　　　主人　　　　　　時代　　　　　話

6. ＿＿＿＿＿に＿＿＿＿＿＿＿＿ください。
　　ぜったい　　　　とまらないで

7. ＿＿＿＿＿、のどが＿＿＿＿＿＿、＿＿＿が出ません。
　　さいきん　　　　　いたくて　　　　こえ

8. この＿＿＿＿＿はまずいし、安くないし、＿＿＿＿＿です。
　　　おちゃ　　　　　　　　　　　　さいあく

9. ＿＿＿＿＿は私がどんな＿＿＿＿＿をしているか＿＿＿＿＿＿＿。
　　かぞく　　　　　　　　仕事　　　　　　　　　　しりません

10. ＿＿＿＿＿＿で＿＿＿＿＿＿帰りました。
　　　一人　　　　あるいて

11. この店でよく＿＿＿＿＿＿　＿＿＿は何ですか。
　　　　　　　　売れる　　　もの

第21課 1 Kanji Practice

272 信	信	信	信					
273 経	経	経	経					
274 台	台	台	台					
275 風	風	風	風					
276 犬	犬	犬	犬					
277 重	重	重	重					
278 初	初	初	初					
279 若	若	若	若					
280 送	送	送	送					
281 幸	幸	幸	幸					
282 計	計	計	計					
283 遅	遅	遅	遅					
284 配	配	配	配					
285 弟	弟	弟	弟					
286 妹	妹	妹	妹					

第21課 2 Using Kanji

▶ Rewrite the *hiragana* with an appropriate mix of kanji and *hiragana*. Rewrite the kanji with *hiragana*.

1. 今年＿＿＿＿＿＿＿＿＿、＿＿＿＿＿＿＿が来ました。
　　　　　　はじめて　　　　　　たいふう

2. ＿＿＿＿＿＿＿に＿＿＿の＿＿＿＿＿を＿＿＿＿＿＿＿＿＿。
　　　きょうだい　　いぬ　　しゃしん　　　　　おくりました

3. ＿＿＿＿＿＿になれると＿＿＿＿＿＿＿います。
　　　しあわせ　　　　　　　　しんじて

4. この＿＿＿＿＿は十分＿＿＿＿＿＿＿います。
　　　　とけい　　　　　　おくれて

5. 私の＿＿＿＿＿＿はまだ＿＿＿＿＿です。
　　　　　親　　　　　　　わかい

6. その＿＿＿＿＿は＿＿＿＿＿ ＿＿＿＿＿で＿＿＿＿＿＿しています。
　　　わかもの　　　おもい　　病気　　　　入院

7. ＿＿＿＿＿はパソコンを＿＿＿＿＿も持っています。
　　いもうと　　　　　　　　さんだい

8. ＿＿＿＿＿＿＿が＿＿＿＿＿＿＿ので、おなががすいていません。
　　　食事　　　　　　おそかった

9. ＿＿＿＿は毎日同じ電車で＿＿＿＿＿＿＿いますが、きのうは
　おとうと　　　　　　　　　　通って

　＿＿＿＿＿＿＿＿＿そうです。
　　のりおくれた

10. ＿＿＿＿＿＿は＿＿＿＿＿でしたが、いい＿＿＿＿＿ができました。
　　　はじめ　　　　しんぱい　　　　　　　けいけん

第22課 1 Kanji Practice

287 記	記	記	記					
288 銀	銀	銀	銀					
289 回	回	回	回					
290 夕	夕	夕	夕					
291 黒	黒	黒	黒					
292 用	用	用	用					
293 末	末	末	末					
294 待	待	待	待					
295 残	残	残	残					
296 駅	駅	駅	駅					
297 番	番	番	番					
298 説	説	説	説					
299 案	案	案	案					
300 内	内	内	内					
301 忘	忘	忘	忘					
302 守	守	守	守					

第22課 2 Using Kanji

➤ Rewrite the *hiragana* with an appropriate mix of kanji and *hiragana*. Rewrite the kanji with *hiragana*.

1. ＿＿＿＿＿＿さんがトイレまで、＿＿＿＿＿＿＿くれました。
   えきいん　　　　　　　　　　　　　　　あんないして

2. ＿＿＿＿＿コートを着て、＿＿＿＿＿＿で＿＿＿＿＿います。
   くろい　　　　　　　　とうきょうえき　　　まって

3. ＿＿＿＿＿さんの＿＿＿＿＿好きな＿＿＿＿＿は何ですか。
   くろき　　　　　　いちばん　　　　　しょうせつ

4. ＿＿＿＿＿ ＿＿＿＿＿＿＿＿、すぐわかってくれました。
   いっかい　　　せつめいしたら

5. 母は＿＿＿＿＿があったので、私が＿＿＿＿＿ ＿＿＿＿＿に
   ようじ　　　　　　　　　　　　代わりに　　　ぎんこう

   行きました。

6. ＿＿＿＿＿＿と約束をしましたが、＿＿＿＿＿＿＿でした。
   親友　　　　　やくそく　　　　　　　　まもれません

7. ＿＿＿＿＿が多くて、＿＿＿＿＿＿、＿＿＿＿＿を書きませんでした。
   ざんぎょう　　　　　　　二日間　　　　にっき

8. ＿＿＿＿＿、＿＿＿＿＿＿を買いましたが、電車の中に＿＿＿＿＿
   しゅうまつ　　おまもり　　　　　　　　　　　　　　わすれて

   しまいました。

9. ＿＿＿＿＿、友だちの家に行きましたが、＿＿＿＿＿だったので、
   ゆうがた　　　　　　　　　　　　　　　　るす

   メッセージを＿＿＿＿＿＿＿。
   のこしました

第23課 1 Kanji Practice

303	顔	顔	顔	顔						
304	悲	悲	悲	悲						
305	怒	怒	怒	怒						
306	違	違	違	違						
307	変	変	変	変						
308	比	比	比	比						
309	情	情	情	情						
310	感	感	感	感						
311	調	調	調	調						
312	査	査	査	査						
313	果	果	果	果						
314	化	化	化	化						
315	横	横	横	横						
316	相	相	相	相						
317	答	答	答	答						

第23課 2 Using Kanji

➤ Rewrite the *hiragana* with an appropriate mix of kanji and *hiragana*. Rewrite the kanji with *hiragana*.

1. 英語の＿＿＿＿＿＿＿＿＿は、＿＿＿＿＿＿＿で＿＿＿＿＿＿を
　　　　　　かおもじ　　　　　　　　ロ　　　　　かんじょう

　　＿＿＿＿＿＿＿＿＿＿。＿＿＿＿＿＿＿＿＿、日本語ではよく目を使います。
　　　　　表します　　　　　　　　一方

2. 彼は＿＿＿＿＿＿＿＿＿な＿＿＿＿をして、＿＿＿＿＿＿＿＿＿＿。
　　　　　かなしそう　　　　かお　　　　　　こたえました

3. みんながその＿＿＿＿＿＿＿はちょっと＿＿＿＿＿＿＿と思いました。
　　　　　　　　けっか　　　　　　　　　　へんだ

4. ＿＿＿＿＿＿＿と野菜は何が＿＿＿＿＿＿＿か。その＿＿＿＿＿＿は難しいです。
　　　くだもの　　や さい　　　　　ちがいます　　　　　こたえ　　　　むずか

5. ＿＿＿＿＿＿＿＿＿＿で使われている絵文字を＿＿＿＿＿＿＿＿＿です。
　　　　　世界中　　　　　　　　　　　え　　　　　しらべたい

6. 日本とあなたの国の＿＿＿＿＿の＿＿＿＿＿を＿＿＿＿＿＿＿みましょう。
　　　　　　　　　ぶんか　　　ちがい　　　くらべて

7. ＿＿＿＿＿＿＿の＿＿＿＿＿＿をよく見たほうがいいです。
　　　あいて　　　ひょうじょう

8. その人は私の＿＿＿で＿＿＿＿＿＿＿泣いていました。
　　　　　　　よこ　　　かんどうして　　　な

9. 敬語の＿＿＿＿＿＿＿＿を＿＿＿＿＿＿、＿＿＿＿＿＿＿＿＿＿。
　　けい ご　　　　使い方　　　　まちがえて　　　おこられました

10. この＿＿＿＿＿＿を続けるのは＿＿＿＿＿＿＿＿＿＿。
　　　　ちょうさ　　　　　　　たいへんでした